Les secrets
de la musique
de l'âme

Les Éditions et Disques Imagine
C.P. 2442
Ste-Adèle
Québec, Canada
J0R 1L0

Typographie: TAPAL'ŒIL
Photo de l'auteur: Michel Legendre

2ᵉ édition

Dépôt légal: 2ᵉ trimestre 1990
Bibliothèque nationale du Québec
Bibliothèque nationale du Canada
Bibliothèque nationale de Paris
Library of Congress, Washington, D.C.

ISBN 2-9801966-0-6

Patrick Bernhardt

Les secrets de la musique de l'âme

REMERCIEMENTS

Merci à France Lortie pour les esquisses préliminaires et l'écoute profonde ; Joanne Cyr pour les conseils ; Denis Bernier pour son expertise de correcteur ; merci à Yves Ducharme pour les ouvrages de références et pour son aide.

Je tiens également à exprimer ma gratitude à Pierre A. Durivage pour sa confiance et son efficacité professionnelle.

Merci enfin à toutes les personnes qui m'écrivent par l'intermédiaire du Réseau Atlantis Angelis et qui témoignent avec tant de cœur du bien-fondé de mes recherches et de mes travaux.

P.B.

Le Réseau Atlantis Angelis
Patrick Bernhardt
C.P. 2442
Ste-Adèle
Québec, Canada
J0R 1L0

À mes maîtres

« Rendus forts par la puissance du son, nous cheminons joyeux à travers la sombre nuit de la mort. »

Mozart, *La Flûte enchantée*

« Alors que les spécialistes de la physique nucléaire confrontent, en toute lucidité, leurs faits et leurs théories avec les approches conceptuelles des mystiques, beaucoup de biologistes et de médecins s'enferment dans leurs dogmes réductionnistes. »

Étienne Guillé
(Docteur ès Sciences, Agrégé de mathématiques, chercheur et enseignant au Département de Biologie moléculaire de l'Université de Paris.)

TABLE DES MATIÈRES

CHAPITRE 4
L'ÉMOTION INITIATIQUE
DES NOMS SACRÉS

AU LECTEUR

L'INVITATION AU VOYAGE

Je ne suis ni un matérialiste, ni un spiritualiste. J'ai toujours été « entre » les dénominations, entre les choses. C'est pourquoi la plupart du temps les scientifiques me considèrent comme un religieux, alors que les religieux me prennent pour un athée... Que faire ? Rien. Rien sinon observer la beauté des grands nuages blancs qui traversent le ciel en se rappelant que seul le changement ne change pas et en imaginant que cette contemplation sera, pour les uns comme pour les autres, en elle-même une réponse. Car la nature même du monde de forme et de nom autour duquel nous gravitons force les esprits à poser une étiquette sur tout. Sur les choses comme sur les êtres.

Je ne suis pas musicologue, pas même « vrai » musicien au sens classique du terme. Encore moins médecin. Je chante, je cherche ; j'observe les effets de la voix sur le corps, du chant des voyelles sur le mental, des musiques sur les gens. Rien de très compliqué en somme. Il y a des choses que je comprends, d'autres, comme cela arrive souvent, que je ne comprends pas. Je suis un simple voyageur à la recherche d'un monde meilleur.

Mon intérêt pour ces formules phoniques aux effets vibratoires profonds, les « mantras », m'est venu d'une expérience faite en 1977 alors que je pratiquais le « Japa », c'est-à-dire la répétition rythmée d'un mantra. Cette expérience, chaque être vivant sans aucune restriction peut la vivre. Elle correspond à ce que la *Mandukya Upanishad* (partie des *Védas*) décrit comme

> « quatrième état qui n'a ni connaissance intérieure, ni connaissance extérieure, ni connaissance de l'un, ni de l'autre, ni connaissance globale, ni connaissance et non connaissance à la fois ; qui est invisible, insaisissable, impensable, innommable, qui n'a pour essence que l'expérience de son propre Soi, qui annule la diversité, qui est apaisé, bienveillant, sans dualité, qui est le Soi, l'objet de la Connaissance. »

C'est simplement pour tenter de revivre cette expérience, de la comprendre, l'apprivoiser, de la servir, et éventuellement de la décrire que j'ai commencé ce voyage, cette quête vers la musique de l'intérieur, tant il est vrai que la nature de cette expérience est joyeuse, libre, spontanée et inoubliable.

J'évite, le plus possible, les lieux et les livres où il y a beaucoup de mots qui finissent pas « isme » ; ils sont fréquemment trop éloignés de la vérité. Comme fanatisme par exemple.

Je suis fasciné par la puissance de la parole, de la musique et des vibrations sonores en général. Ma quête vers l'origine du langage m'a fait rencontrer le sanskrit, cette mère de toutes les langues mise par écrit il y a 5 000 ans. Mon texte est donc pimenté çà et là de quelques mots sanskrit dont les définitions sont données dans un glossaire, en fin de livre.

J'aurais tout aussi bien pu découvrir sur ma route, l'ancienne langue aztèque ou même l'hébreu, ou encore le langage hiéroglyphique des Pharaons... La vérité est une et n'appartient à personne en particulier. Aucune culture, aucune tradition, si brillante soit-elle, ne peut s'en réclamer propriétaire sans tomber dans l'erreur... et le ridicule. La vérité n'est pas statique. Elle évolue constamment. Son essence demeure la même mais ses aspects sont infinis. D'où l'impossibilité de la « prendre » ou de la comprendre intellectuellement.

Tout ce qu'il nous est donné de faire, c'est d'avoir un jour, parce qu'on en a eu l'immense désir, la joie profonde de percevoir ou d'expérimenter une de ses innombrables facettes, ce qui est déjà, une initiation en soi. Ce n'est donc rien d'autre qu'une expérience qui est partagée ici et non pas une vérité qui est « prêchée ».

Les prédicateurs ont tous quelque chose en commun : ils pensent qu'ils ont tous raison et que tous les autres, forcément, doivent avoir tort. C'est un point de vue amusant et qui peut être, après tout, respecté. Le danger est que ce point de vue mène tout droit à... l'inquisition. Et c'est peu dire que, de nos jours, l'inquisition — qu'elle soit médiatique, politique, ou médicale — brûle encore de mille flammes dans les esprits et dans les cœurs obstinément fermés aux nouvelles dimensions de l'art, de la liberté et de la santé !

Je n'essaye donc pas de convaincre qui que ce soit par de belles théories pseudo-scientifiques et de grandes hypothèses. Ma tentative est une simple invitation. Une invitation à la fête de l'intérieur où l'activité principale est d'être heureux.

Qu'on ne se méprenne pas sur l'utilisation des mots âme, sacré, divin, absolu etc. Il faut bien nommer les choses et le langage humain a ses limites. La réalité dépasse de loin nos symboles d'écriture même si, comme nous le verrons plus loin, ils peuvent être considérés comme des « mots de passe » et nous donner accès à une certaine image des sphères de l'invisible.

En psychanalyse, on n'emploierait pas, bien sûr, ces mots-là, car pour la raison, ils font partie du domaine du douteux. On parlerait de « source des images subconscientes ou de rêve », du « centre organisateur d'où émanent les effets régulateurs et qui semble être un "atome nucléaire" dans notre système psychique » ou je ne sais trop quoi encore... bref on parlerait avec l'intellect.

Carl Jung, plus simplement, appelle ce centre « le soi ». Pour nommer cet espace intime, j'ai préféré conserver le mot âme et le mot divin parce que je les trouve poétiques et qu'ils parlent à mon cœur. À travers les âges, les êtres humains ont été intuitivement avisés de l'existence d'un tel centre. Les Grecs l'appelaient « daïmon », en Égypte, on l'exprimait par le concept du « Ba-soul », les Romains le nommaient le « génie » inhérent à chaque individu. L'antique civilisation védique le connaissait comme « l'atma », la force vitale indestructible, fondement de la personne, qui est de toute éternité en harmonie avec les lois universelles.

Je n'ai donc rien inventé. Mon seul travail est de remettre à jour ce centre enfoui aux quatre coins de l'histoire humaine, de réactiver dans une certaine mesure cet espace de paix et de lumière occulté par la vitesse et la technicité du monde moderne qui conspire contre lui, sans plus savoir du reste, pourquoi.

Si ce lieu existe, on doit pouvoir s'y rendre, ou tout au moins le percevoir, le sentir. Eh bien oui, c'est possible. Et en écoutant bien, il nous est même permis d'entendre des sons, des fréquences, des chants, des ondes, des harmoniques merveilleuses qui jaillissent spontanément de cet endroit magique qui se trouve au plus profond de nous et nulle part ailleurs.

Lorsque, par un processus ou par un autre, toutes ces vibrations sonores dansent ensembles dans une parfaite alliance, et unissent « leur voix » en un équilibre exact, il nous est possible de capter au-delà des sens purement physiques, une admirable et sublime mélodie.

Et cette musique se joue au rythme de la grâce et de l'amour ; de cet amour absolu, pur et inconditionnel, que seule la vie universelle a le privilège de connaître.

la Guérison est le But
la Sincérité est la Force
la Vibration universelle est l'Outil
la Deuxième Naissance est le Fruit.

P.B.

INTRODUCTION

À LA RECHERCHE DE
LA MUSIQUE DE L'ÂME

« Tout est vibration, rien n'est inerte, tout vibre ; tout s'équilibre par oscillations compensées. »

Hermès

« Pour peu qu'il puisse se débarrasser du carcan rigide de son éducation, chaque être humain sent qu'il y a une réalité indéniable, quoique difficile à détecter. Mais ce qui reste occulte pour un moment, n'en est pas pour autant non concevable. Il faut être empreint d'une certaine foi pour oser exprimer avec précision et fermeté ce que la science considère comme une agréable vision poétique. Pourtant combien de fois cette vision ne précède-t-elle pas de quelques millénaires, de quelques siècles ou de quelques décennies les preuves expérimentales qui ne sont, en fait, qu'une vérification tardive de ce qu'ont révélé ces fantastiques prémonitions. Le scientifique craint de s'avouer poète de peur d'être exclu du cadre de ses pairs. Mais un chercheur sans poésie est l'exemple même du scientifique, stérile à souhait, qui apporte néanmoins sa contribution en confirmant par des mesures, des statistiques, ce que le poète a perçu. »

Pr. Alfred Tomatis
La Nuit utérine

« Notre effort pour penser la réalité doit, sous peine d'échec, intégrer tous les acquis de la science moderne. »

Hubert Reeves, astrophysicien
L'heure de s'enivrer
L'univers a-t-il un sens?

Imaginez

Imaginez un guérisseur merveilleux qui ait le pouvoir d'éliminer graduellement tout ce qui encombre vos cellules, ce qui gêne le fonctionnement de vos organes, ce qui freine la circulation du sang dans vos artères. Imaginez cette liberté, cette légèreté...

Imaginez qu'il ait le pouvoir de calmer vos nerfs, de détendre vos muscles, de replacer vos vertèbres et de masser en profondeur votre dos et vos épaules avec une douceur, une confiance et une bienveillance extrêmes.

Imaginez que ses mains et sa voix soient pour vous des mains qui guérissent, une voix qui soulage.

Imaginez encore que ce guérisseur ait le pouvoir de percer les secrets de l'aura qui vous entoure, et qu'il puisse la rendre lumineuse en y retirant doucement toutes les limitations, les peurs, les blocages, les soucis, les conflits, les problèmes qui y sont emmagasinés depuis l'adolescence, l'enfance, la naissance et même au-delà, depuis les évolutions et les expériences de vies antérieures.

Imaginez l'absence de crainte, de négativité, le retour de l'assurance et du sentiment d'absolue sécurité qui naît d'une relation intime, d'une complicité confidentielle avec la nature et les qualités du soi véritable.

Imaginez que ce guérisseur vous remplisse de lumière et de joie, et que cette lumière illumine vos pensées et fasse sourire chacune de vos cellules.

Imaginez encore qu'il vous invite et vous donne le pouvoir de vous propulser, de vous projeter dans l'espace, dans votre corps astral, sur les ailes de votre propre visualisation créatrice jusqu'aux plus beaux jardins de l'univers, jusqu'aux sphères de cristal où résident nos cousins des étoiles avec qui nous formons des réseaux de clarté, et qui viennent nous visiter périodiquement sur leurs aéronefs galactiques, propulsés par les vents de l'amour inconditionnel pour le plus grand plaisir de toute la création.

Imaginez un soulagement total, un auto-déblocage complet de toutes les tensions négatives qui nous font douter de la beauté et de l'éternité de la vie.

Imaginez que la libération de ces tensions ait non seulement la force de vous guérir, mais détienne également la puissance de réveiller en vous quelque chose d'absolu, quelque chose d'immortel.

Imaginez enfin que cet extraordinaire magicien existe réellement et se présente à vous sous la simple forme d'énergies musicales, des énergies musicales venues d'un plan supérieur dans le but de soulager, de guérir et d'élever toute l'humanité, vers une existence d'éternité, de conscience et de bien-être réel.

Ces quelques mots ne vous donneront qu'un faible aperçu des images, des symboles, des inspirations et des motivations de l'ouvrage que vous avez entre les mains. Pourtant, ces images et ces symboles, nous les portons tous et toutes en nous, profondément cachés dans le fond de notre cœur, quelle que soit notre appartenance culturelle, traditionnelle, sociale ou religieuse.

Je vous souhaite un excellent voyage vers les plaines sans limites des jardins de l'intérieur, à la recherche de l'âme et de sa céleste musique. Dan Millman a dit : « La connaissance seule ne suffit pas ; elle n'a pas de cœur. » Les voyageurs qui partent à la recherche de la musique de l'âme sont donc invités à ne pas se charger de la lourde valise des idées préconçues, qui bloquent la libre circulation des énergies intuitives et sont à l'origine des limites de la prétendue intégrité scientifique de l'école rationaliste. « L'esprit est comme un parachute ; il ne fonctionne que lorsqu'il est ouvert », et il en va de même pour le cœur. C'est avec un esprit et un cœur ouverts qu'on peut percevoir ces intuitions supérieures et ces révélations intimes qui sont le « sésame ouvre-toi » du chercheur sincère. La formule sonore symbolique peut alors éclairer l'être tout entier en lui dévoilant les mystères de son origine, de son identité cosmique et de son destin.

Une énergie qui était là depuis toujours

Sans cesse, notre système nerveux est soumis au supplice des bruits discordants du monde moderne. À moins d'avoir le bonheur de résider dans un endroit où le chant de la nature a pu être préservé, nos oreilles sont jour et nuit littéralement transpercées par le vacarme étourdissant et dévastateur de l'exploitation mécanique de la matière. Moteurs à explosion, sirènes hurlantes, sifflements stridents, grincements horripilants ruinent graduellement notre corps et notre esprit. Bien plus, ce qu'on appelle laconiquement musique dans notre système de consommation actuel se fait quelquefois l'écho inconscient de ces bruyantes machines qui nous entourent.

À l'aube de l'ère du Verseau, les trépidations, les distorsions et les cris remplacent encore trop souvent les mélodies et les harmonies qui sont le propre de la véritable musique. La parole elle-même, ce don unique qui fait de la race humaine une héritière des énergies supérieures (para prakriti), est utilisée le plus souvent à des fins négatives, sans aucune considération et dans l'ignorance quasi totale du pouvoir gigantesque qu'elle supporte. Peut-on concevoir à quel point les effets cumulatifs de ces bruits et de ces affirmations souvent saturés de nihilisme et de négativité, peuvent ravager notre espace intérieur? Peut-on se représenter combien de maladies, combien de désordres, de suicides et de déséquilibres ces énergies sonores peuvent provoquer? C'est précisément pour tenter de soigner ces «blessures» que les compositeurs de l'ère nouvelle ont pour mission de développer un type de musique susceptible de cicatriser les plaies occasionnées par ce nouveau fléau des temps modernes: le bruit. Plus qu'une simple musique de relaxation, c'est dans le son lui-même que ces nouveaux compositeurs partent à la recherche d'une musique de transformation. Transformer l'anxiété en sérénité, la peur et l'angoisse en sentiment de plénitude et de confiance, l'obscurité inerte en vivante clarté, la douleur en sérénité: telle est l'intention fondamentale qu'ils injectent dans leurs créations. La source de l'inspiration et le choix des sonorités placent alors l'auditeur dans un climat particulier, profondément différent de tout ce qu'il a connu auparavant, où la sensation de plénitude n'est pas une imposition artificielle sur le mental mais au contraire, une énergie qui était là depuis très longtemps, depuis toujours, et qu'il retrouve instantanément sans faire aucun effort, dans la mesure où cette énergie positive ne provient pas de l'extérieur mais de son for intérieur.

En outre, ces énergies musicales ont tendance à transporter l'être qui les écoute avec une profonde attention, dans une atmosphère surnaturelle, paisible et heureuse, inaudible à l'oreille qui n'est pas recouverte du baume de l'amour inconditionnel. Ce monde invisible à l'œil et à l'oreille physiques (mais que l'on peut percevoir d'une part, grâce au regard pénétrant des textes révélés connus dans le monde, et d'autre part, grâce à ses propres intuitions et expériences transpersonnelles) correspond à la réalité une et multiple des états de conscience modifiés. À ce niveau, tout redevient possible ; le stress de la vie de tous les jours se volatilise, les soucis et les tensions s'évaporent, et l'auditeur pénètre alors dans la sphère de sa propre sérénité. Dans cette sphère, tous ses sens sont captivés par un plaisir unique et il s'aperçoit que celui-ci est en lui ; il prend conscience que ce plaisir n'est pas différent de lui. À partir de là, les clés de l'univers sont entre ses mains. Il ne lui reste plus qu'à laisser grandes ouvertes les portes de son cœur et de son esprit, afin que l'harmonie terrestre et céleste lui donnent l'opportunité de vivre cette vie intense dont il rêve depuis toujours.

Atlantis Angelis : un simple témoignage

L'origine de cet ouvrage est l'œuvre musicale intitulée Atlantis Angelis, présentée au public sous la dénomination de « Mantras d'auto-guérison chantés en sanskrit ». Nombreuses sont les personnes qui, durant l'écoute de ces vibrations sonores, sentent une forme d'énergie particulière et expérimentent certaines transformations tant au niveau physique que psychique. Certains auditeurs vont jusqu'à parler de dimension spirituelle et d'ouverture à un monde qu'ils percevaient en eux et auquel ces vibrations sonores leur ont permis d'accéder. À titre d'exemple, je me permets de citer la très belle lettre de madame Nicole Blanchette, qui dirige ses recherches vers la pratique de la danse évolutive dans laquelle l'approche spirituelle et l'œuvre artistique tendent à fusionner :

> « Ceci est un simple témoignage de mon expérience d'environ dix années de recherche, qui s'est complétée et révélée avec le support d'Atlantis Angelis. Cette musique m'a conduite dès les premières écoutes à la force vitale qui m'a permis de finaliser mon approche de la danse évolutive. Pendant toutes ces années de recherche — ce trajet de création et de questionnement — j'étais intensément à l'écoute de différentes musiques pour y apprivoiser cette danse du dedans, qui nettoie, active les champs énergétiques et harmonise en nous emmenant au cœur de notre propre courant de vie. Renforcer et réveiller les êtres aiderait la planète dans l'accomplissement de son destin. Comment élever la conscience et éveiller encore plus le chant intérieur de chacun, s'amener à trouver en nous la paix, l'amour, l'intuition, et se délivrer des plus fortes attaques de l'ego qui souvent conduisent à la maladie. Mouvements du corps, temple de l'âme ; musique de l'âme, rythmes de vie : deux entités essentielles pour se créer un espace de paix, d'harmonie, d'amour de soi et de tout le cosmos. Il me semblait que le temps passait si vite et je constatais que dans cette vie, je n'arriverais pas à composer la musique qui serait assez élevée pour amener les êtres à rejoindre les grandes vibrations de l'âme. Cette tâche me semblait confiée à une autre âme, que je rencontrerais bien un jour. Cet ami dans l'invisible me rejoindrait... Ce fut *Atlantis Angelis*. »

Chaque semaine j'ai le bonheur de recevoir les lettres encourageantes d'adeptes de musiques d'élévation, qui me confirment le bien-fondé de mes recherches. Ainsi, cet autre témoignage bouleversant de sincérité provenant d'une infirmière phytothérapeute, spécialiste en médecine naturelle, madame Jeanne d'Arc Xavier :

> « Par votre belle musique , vous pouvez bâtir des temples dans le cœur des êtres. Par son grand magnétisme, je sens que chaque personne qui l'écoute se transformera et deviendra meilleure. Cette musique m'apporte quelque chose d'indéfinissable, de merveilleux. »

Je citerai encore quelques phrases de l'animatrice du centre de yoga Saï Baba de Montréal, Marie Loranger, qui m'a fait parvenir ce qui suit :

« Samedi 15 avril, je bouquinais dans une librairie d'ouvrages esotériques lorsque le thème de Atlantis Angelis a rempli l'endroit de son incomparable beauté. Je me suis arrêtée dans un silence attentif et j'ai bu à sa source... Je suis repartie, emportant comme un trésor inestimable cette musique si belle. Ce n'est que le soir que j'ai pu l'écouter à nouveau dans le silence de la nuit. Je ne puis te dire l'émotion profonde que j'ai ressentie. Il n'existe aucune langue pour exprimer ce que j'ai éprouvé alors. Sans que j'y puisse quoi que ce soit, des larmes de joie coulaient de mes yeux comme des sources d'eau vive et je me sentais comme purifiée de toute peine. Un chant d'allégresse a jailli de mon âme et des flots de tendresse m'ont totalement submergée. Je sentais vibrer les régions les plus pures de mon âme. Une immense gratitude a gonflé mon cœur pour une telle musique, la musique de l'âme, véritable lumière. Je me suis écriée : Seigneur ! Est-ce possible que sur cette terre souffrante, si déchirée par l'absence d'amour, il existe une musique dont la transparence est telle que ta vivante beauté s'écoule à travers elle comme une source pure? Ce fut une véritable communion. Ces moments ont laissé en moi une impression profonde. C'était comme me rencontrer moi-même pour la première fois. L'émotion que me donne *Atlantis Angelis* est un frémissement de l'âme, un chant d'amour, une vibrante symphonie, et les êtres des plans les plus élevés — les devas, les anges, les divinités et tous les esprits — ont dû être touchés par l'infinie tendresse de cette musique. L'écouter, c'est recevoir son âme entre ses mains. On y sent une joie profonde. Ses vibrations d'amour élèveront la fréquence vibratoire de la planète et les cœurs auront moins mal. »

Je cite ces témoignages car ils parlent d'eux-mêmes. Ils représentent le brûlant aveu de personnes qui sont arrivées à soulever quelque peu le voile du mystère infini. En laissant les énergies musicales agir en eux, attentivement et consciemment, elles ont pu ressentir et expérimenter quelque chose de profond et d'inoubliable. Illusion? Sentimentalité ? Impression irréelle ? Fausse croyance ? Sensibilité maladive ? Ou bien vérité, perception d'une réalité supérieure?

Partir à l'aventure

C'est précisément dans le but de répondre à ces questions que je vous invite à vous aventurer à la recherche de la musique de l'âme. Nous verrons durant ce voyage dans l'univers des sons, dans quelle mesure le son en général — et la musique en particulier — agit sur les organismes vivants, et quelles expériences ont été faites dans le passé ainsi que celles que l'on peut tenter soi-même chez soi. Cette pénétration dans le monde occulte de la musique, nous renseignera sur la manière dont les hommes et les sociétés qu'ils bâtissent sont soumis à l'influence secrète des musiques particulières dont ces sociétés se nourrissent. Nous évoquerons ensuite la puissance même de la parole. Se peut-il que le simple fait d'affirmer quelque chose par le son des mots puisse nous entraîner vers la manifestation de cette chose ? Se peut-il que la musique de la parole détienne le pouvoir mystérieux de faciliter la cristallisation en nous et dans notre environnement, de la nature et des qualités de nos affirmations ? Telles seront les questions auxquelles nous répondront dans les deux premiers chapitres.

Le troisième chapitre sera consacré à l'énergie des mantras. Qu'est-ce qu'un mantra ? Les systèmes religieux chrétiens, musulmans, bouddhistes, juifs, judaïques, possèdent-ils leurs propres mantras-prières ? Comment fonctionne l'énergie des mantras ? Autant de questions auxquelles nous tenterons de répondre ensemble. La route des mantras tout naturellement nous mènera jusqu'à l'étrange phénomène des « Noms sacrés » et nous essayerons d'établir la souveraineté de ces chants spirituels et de leur grand pouvoir de purification en prenant comme référence les Puranas, les plus anciens écrits que l'on connaisse sur Terre, en citant comme éléments de preuve les rapports analytiques de grands savants de l'âme. Cette méditation sur les Noms sacrés se voudra fondamentalement universelle, et nous nous intéresserons aux prières et à la glorification des Saints Noms tels qu'ils sont présentés à l'humanité par tous les grands courants traditionnels connus sur la planète.

Le chapitre quatre traitera de l'énergie inconcevable et des pouvoirs mystérieux reliés au chant et à l'écoute des vibrations sonores spirituelles et absolues. Nous envisagerons la possibilité d'entrer en relation directe avec l'âme de l'univers, par le chant de ses innombrables Noms. Nous verrons alors comment cette relation devient l'oasis unique où l'être vivant peut apaiser sa soif d'amour infini. Il ne nous restera plus qu'à passer à la pratique et le cinquième chapitre nous expliquera comment il est possible de prendre un bain musical total. De constantes références aux ouvrages qui font autorité en la matière nous aideront dans cette tâche.

Pour finir, nous envisagerons de quelle manière la musique de l'âge du Verseau peut aider l'humanité à traverser la crise qui la frappe aujourd'hui et comment les compositeurs et les auditeurs peuvent participer à cet extraordinaire renouveau planétaire, cette formidable transformation des sociétés et des consciences dont nous sommes d'ores et déjà les spectateurs, les acteurs et les canaux par lesquels un nouveau peuple de lumière est en train de naître.

Retrouver la dimension énergétique des sons

Dans le monde moderne, la plupart des vibrations musicales qui nous parviennent présentent l'inconvénient de nous faire oublier la raison pour laquelle nous avons pris naissance sur la Terre, et qui est d'évoluer. Il semble qu'à toutes les époques, la majeure partie des productions musicales ait été créée uniquement dans un but purement esthétique, ou simplement pour provoquer un effet stimulant, et qu'aujourd'hui encore, l'essence spirituelle des sons soit souvent reléguée à l'arrière-plan, quand elle n'est pas tout bonnement ignorée. C'est cette prise de conscience qui faisait dire à Beethoven, au cours d'une conversation avec Bétina Brentano :

« De même que des milliers de gens se marient par amour et que l'amour ne se révèle pas même une fois à eux, quoique tous pour ainsi dire le pratiquent, des milliers s'occupent de musique sans en avoir la révélation ».

En effet, on ne s'intéresse généralement qu'au côté extérieur des sons ; la forme est souvent perçue comme plus importante que le fond. Or, cette musique de forme, dénuée du « jaillissement intérieur du feu de l'esprit », ne nous nourrit que pauvrement et ne possède pas la puissance d'élever l'âme au-dessus de la condition humaine. C'est en quelque sorte une coquille sophistiquée, mais vide et sans substance. Elle s'adresse soit à nos sens et nous excite, soit à notre mental et nous émeut ; quelquefois, elle s'adresse à notre intelligence en nous donnant l'illusion d'un vague plaisir intellectuel. Tout cela provoque de la tension et du stress. Rares sont les harmonies qui s'adressent directement à l'âme, c'est à dire à l'immortelle force vitale. Retrouver la dimension énergétique des sons, le pouvoir transformateur et la fonction réelle des énergies musicales sera donc notre but. Nous tenterons d'éclairer la conscience sur l'éternelle puissance des sons et montrerons comment l'auditeur devient, à côté du compositeur et de l'interprète, le troisième créateur de la musique en utilisant sa propre essence comme partition et instrument. À ce niveau, la science musicale est inutile, et seule une attention puissamment concentrée est réellement efficace. En s'identifiant parfaitement et en s'entretenant intimement avec la musique, qu'il considérera comme une personne vivante, l'auditeur recevra les réponses révélatrices, qui le délivreront du poids de ses problèmes existentiels et pourront le mener jusqu'à l'illumination intérieure.

Intellect et révélation

Qu'est-ce que la musique de l'âme ? Pour donner une réponse satisfaisante à cette question, il faudrait dans un premier temps se poser la question : qu'est-ce que l'âme ? Cette question revient en somme à se demander : qui sommes-nous ? On aborde ici le fameux « qui suis-je ? » et l'illustre « connais-toi toi-même » des plus grands penseurs de tous les temps. Répondre à la question « qu'est-ce que l'âme » représente une entreprise qui nécessiterait à elle seule plusieurs livres. Il est néanmoins possible d'y parvenir beaucoup plus rapidement en laissant de côté, d'une part, toute spéculation intellectuelle, et d'autre part en tentant de réveiller l'intuition intérieure en se référant aux textes faisant autorité en matière de recherche théosophique (du grec theosophia : illuminisme qui a pour objet l'union avec le principe Divin).

Voyons ce qui se cache derrière ce petit mot « âme ». Pour les latins, l'anima, l'âme, est le souffle même de la vie. Pourtant, depuis toujours, il y a sur Terre des athées ou des nihilistes qui ne croient pas en son existence. Et Giono disait de l'un d'eux « qu'il n'était plus du tout asssuré du privilège de l'immortalité de son âme ».

L'être humain a perdu la connaissance de l'âme lorsqu'il a cru que sa raison et son intellect représentaient les outils parfaits dans sa recherche de la vérité. Il a ainsi laissé mourir son intuition. Telle est la tragédie du monde, qui tente de comprendre la vastitude de l'océan en la comparant avec les dimensions « raisonnables » d'un puit... Combien il est dérisoire d'essayer de mesurer l'illimité au moyen d'un instrument limité !

Basarab Nicolescu, ce grand analyste scientifique, a dit que :

> « l'idolâtrie du seul intellect mène inévitablement à la mutilation et à la destruction (peut-être moins visibles au niveau individuel, mais combien triomphantes au niveau social) ».

Donc, oublions pour un moment l'intellect et puisons simplement nos informations dans la recherche théosophique et dans la révélation. Pourquoi prendre référence des principales écritures révélées connues — écritures bibliques, bouddhiques, coraniques etc... et principalement védiques ? Qu'est-ce qu'une Écriture Révélée ? Qu'est-ce que les *Védas* ? De quelle manière les textes védiques peuvent-ils nous aider dans notre recherche de l'âme humaine ? La révélation est l'action des forces suprasensibles faisant connaître aux hommes les réalités que leur intellect ne saurait découvrir. Est-ce du domaine de la religion ? Non. La révélation est du domaine libre et simple de « l'expérience directe ». C'est l'expérience de la grâce perçue directement.

Les *Védas* : un pont sur l'oubli

Le mot *véda* signifie savoir. Les versets védiques sont souvent cités, à titre de référence, dans ce livre et il est essentiel de bien visualiser ce qu'ils représentent. Le mot *véda* est un mot sanskrit. Les racines sanskrites peuvent s'interpréter de diverses manières, mais en fait, le sens profond du mot est « connaissance ». Ces textes ne sont pas, comme beaucoup le pensent, des Écritures propres à l'Inde ; leurs enseignements sont universels. Si on les étudie avec soin, on verra que les normes védiques sont toutes justifées.

On qualifie également les *Védas* de « *srutis* », ce mot désignant un savoir acquis auprès d'une entité modèle, c'est à dire une personne affranchie de la dualité et transmettant la connaissance sans la modifier ni l'altérer. Les srutis, sont comparés à une mère. Si un enfant veut savoir qui est son père, c'est à sa mère qu'il doit s'adresser. Si elle lui dit qu'untel est son père, il n'a pas d'autre choix que de la croire sur parole, car il n'a aucun autre moyen de savoir la vérité... De même, pour connaître ce qui dépasse notre entendement et nos facultés de perception, nous pouvons nous en remettre aux Védas si nous le désirons. La connaissance védique est transmise de maître à disciple. Si nous tentons d'acquérir le savoir parfait par notre propre expérience, il se peut que nous y parvenions, mais afin de gagner du temps, il est possible d'adopter cette méthode. Souvenons-nous toutefois que nous portons la vérité en nous ; le « maître caché » *(caitya-guru),* énergie subtile et puissante tapie au fond des êtres, peut nous transmettre la connaissance des choses invisibles par l'intermédiaire de la Buddhi (intuition supérieure).

D'après les *Upanisads,* l'univers est holographique. Tout ce qui émane du Tout Complet est un tout complet. Les écrits sont donc parfaitement inutiles pour l'entité qui s'est éveillée à la réalité. Issue du Tout universel, nous portons en nous la vérité universelle. Ce potentiel existe donc réellement, mais il se trouve souvent à l'état latent, inexploité. Laissée à l'abandon, la source intérieure intuitive peut être réveillée entre autre par le texte révélé.

C'est ainsi que les *Védas* deviennent utiles en tant qu'outils de révélation. L'information védique est pour nous un moyen de se re-souvenir de ce qui est là depuis toujours, mais que nous avons choisi d'oublier. L'écrit révélé représente un pont sur l'oubli, une possibilité de reprendre contact avec un niveau de conscience différent.

Qu'est-ce que l'âme ?

Que disent les *Védas* à ce sujet ? D'après la *Bhagavad-Gita,* ce qui pénètre le corps tout entier ne peut être anéanti et participe d'une énergie suprasensible inconcevable pour les sens et la raison. Nul ne peut détruire cette essence. **L'âme est le principe vital du corps qu'elle habite.** La *Svetasvatara Upanisad* nous en révèle même les dimensions ésotériques : un dix-millième de la pointe d'un cheveu. L'âme distincte serait donc un atome spirituel, plus fin que les atomes matériels. Il en existe un nombre infini. Cette minuscule étincelle est le principe vital du corps physique où son influence est partout répandue. La conscience se manifeste en exerçant son influence dans tout le corps et elle est la preuve de l'existence de l'âme, qui en est la source. Privé de conscience, le corps physique est un objet sans vie. Par suite, la conscience provient de l'âme et non de quelque combinaison d'éléments chimiques. La *Mundaka Upanisad* précise :

> « L'intelligence parfaite peut recevoir l'âme, dont la mesure est dans l'infiniment petit. Elle flotte, portée par les cinq sortes d'air *(prana, apana, vyana, samana et udana)*. Sise dans le cœur, elle dispense son énergie à tout le corps. Une fois purifiée de la contamination de ces cinq sortes d'air, elle dévoile sa puissance inconcevable ». (mund.111.19.)

La science matérialiste affirme l'inexistence de l'âme, pour la **seule** raison que sa petitesse la soustrait à son pouvoir d'observation !

Pourtant, depuis des millénaires, nombre de *yogis* ont réussi à contrôler, au moyen de divers *yogas,* les souffles matériels enveloppant la force vitale et l'ont ainsi libérée des énergies denses qui l'emprisonnent. Tous les textes védiques s'accordent pour dire qu'il est capital pour l'être humain d'entrer en contact avec cette force au cours de sa vie terrestre, car le corps matériel dans lequel il se réincarnera sera le fruit des actes accomplis dans cette vie. En effet, que l'âme, cette force vitale indestructible, change de corps est un fait d'évidence pour les *Védas*.

Même la science moderne, qui ne croit pas en son existence, mais qui, en même temps ne peut expliquer d'où provient l'énergie émanant du cœur, doit reconnaître les transformations continuelles du corps : son passage de l'enfance à l'adolescence, puis à la maturité et enfin à la vieillesse. Lorsque, finalement, le corps atteint la dernière étape, l'âme qui l'habitait passe dans un autre corps ; il y a changement physique et psychologique mais l'essence individuelle demeure inaltérable.

Ultime information védique : les âmes sont des parties d'un Tout Suprasensible. Elles peuvent se comparer aux innombrables molécules lumineuses composant les rayons du soleil : étincelles spirituelles, elles forment la radiance de l'Âme Totale Universelle et constituent son énergie transcendantale.

L'âme, étant une partie de la perfection suprême, est elle-même parfaite. Elle ne connait pas la maladie ; elle est constituée d'éternité, de conscience et de bonheur. Seul les corps qu'elle emprunte sont sujets à la naissance, à la maladie, à la vieillesse et à la mort. Que, par un moyen ou par un autre, l'être puisse se relier à l'âme et il se libère de l'identification à l'enveloppe physique périssable : il guérit de toutes renaissances, de toutes maladies, et de toutes morts. **Il EST l'âme.**

Par l'utilisation appropriée des sons et de la musique, nous verrons qu'il est possible de se rapprocher et d'atteindre cet état.

L'âme est une réalité scientifique

Cette affirmation est-elle encore aujourd'hui une considération fumeuse, faussement « scientifique » ?

Au nom de la science, l'idée même de l'âme a souvent été rejetée. Mais au nom de la science l'idée de l'âme est de retour parmi nous. Avec ce retour qui se fait par le biais d'une connaissance exacte et raisonnée, l'idée de l'âme, portée par la science, est plus forte que jamais. Jusqu'alors confortablement installé dans son observation de la matière, le savant est désormais perplexe. Aurait-il été trop loin dans son exploration ? À son niveau le plus fin, la matière (en laquelle le savant croyait aveuglément) s'est avérée être... **de l'énergie !** Et cette énergie mystérieuse envoie d'un seul grand coup d'atome toutes ses hypothèses au panier.

Quelque chose lui échappe. Debout devant ce vide inconcevable pour son observation sensorielle il lutte encore désespérément pour ne pas « sombrer » dans ce qu'il appelle la métaphysique, qui est encore l'hérésie suprême du matérialiste, au même titre que la physique gnostique et **la révélation.**

Ce malaise de la science moderne n'est qu'un juste retour des choses puisque c'est elle la grande responsable de l'annihilation des mythes qui ont guidés l'existence des générations passées. Par son fruit technologique, la science déchire l'être humain en lui offrant le luxe d'un apparent confort physique qu'il doit assumer au prix de sa vie intérieure. La science est alors dans la position de celui qui fait étinceler la cage d'un oiseau sans jamais nourrir l'oiseau qui y est enfermé. Au bout de quelques temps, la cage scintille prodigieusement mais l'oiseau est mort. Tel est le visage de la société moderne qui brille au niveau de sa technologie, mais qui crie son désaroi face à l'absence terrible de sa vie intérieure.

Paradoxalement, c'est grâce à la science elle-même que cet ancien paradigme est en train d'exploser. C'est ce qui faisait déjà dire à Aurobindo : « Rien n'est peut-être plus remarquable, plus suggestif, que la mesure dans laquelle la science moderne vient confirmer, dans le domaine de la **Matière,** les conceptions, les formules auxquelles était parvenu, par une méthode très différente, le *Védanta,* cette partie ultime des *Véda.* Le *Védanta* originel, non pas celui des écoles de philosophie métaphysique, mais celui des *Upanishads* ». Quand on s'interroge sur l'âme, le sens de la vie, la place de l'homme dans le processus cosmique, on n'a plus l'impression que ces questions sont considérées comme non scientifiques. Ces interrogations ont souvent été mises à l'écart et rejetées dans « l'enfer » du douteux et de l'irrationnel. Les poètes et les mystiques étaient les hérétiques de l'École, comme les gnostiques étaient — et sont hélas encore — ceux de l'Église... Ni l'École ni l'Église n'en sont sorties grandies.

La cause de ce fanatisme pitoyable (et politique) était la triste victoire de la pensée mécaniste et fragmentaire sur la pensée intuitive et holistique. C'était une victoire momentanée. À cette époque d'obscurantisme, le savant fixait ses « conditions initiales » — postulait ses dogmes, et tolérait l'idée de l'âme comme une base de départ (car tout était, dans ses calculs, étrangement « prédéterminé » !...) L'apparition de l'image quantique a littéralement fait exploser l'ancien paradigme du déterminisme matériel et a prouvé l'absence de logique de la foi aveugle dans la causalité locale.

Hélas, la peur du vide physique fait encore agir les sociétés selon les concepts périmés du 19e siècle. La fragmentation désespérée des agissements sociaux interdit toute coopération harmonieuse avec la nature. L'idée de la finalité et de l'interaction des phénomènes naturels n'est pas « rentable » ! Heureusement certains milieux scientifiques tirent la sonnette d'alarme et refusent de demeurer dans la fragilité d'une conception purement matérielle de l'existence, qui n'a plus rien à voir avec la réalité depuis l'avénement de la physique quantique. En découvrant la réalité du Grand Tout quantique, ces nouveaux savants ont en même temps, réalisés l'interconnection de ce tout avec chacune de ses parties.

C'est exactement la définition védique de la nature de l'âme distincte, le jiva (la partie), par rapport à l'Âme Suprême le paramatma (le Grand Tout)... La science est sur le point de rejoindre la métaphysique. Le savant a découvert la causalité « globale », et a du même coup profondément bouleversé les réductionnistes matérialistes qui ont vécu dans une sorte de peur, le retour implacable du concept millénaire de « finalité ». L'interaction globale, l'inter-relation totale des éléments de l'univers venait de remplacer la matière, qui devenait ainsi un concept infiniment plus subtil : la « matière-énergie ». La réalité physique n'était plus la seule réalité mais simplement un aspect éventuel de l'énergie !

Einstein fut un révolutionaire unique et sa révolution conceptuelle aurait dû logiquement conduire l'humanoïde vers un nouvel art de vivre et vers de nouvelles valeurs quand à son existence quotidienne. À ce moment, tout aurait pu, ou aurait dû changer. Mais rien n'a changé et l'humanité s'adonne encore à l'idolâtrie de la matière inerte, dans laquelle elle voit inconsciemment l'image d'une véritable divinité perdue.

On est en droit de se demander pourquoi l'image quantique n'a pas révolutionnée le monde. D'où vient cette peur, ce mépris pour la réalité ?

Depuis des milliers d'années les *Upanisads* donnent une définition exemplaire de la physique quantique :

> « La Vérité Absolue est le Tout complet et sa perfection étant totale, tout ce qui émane d'Elle, comme le monde phénoménal, constitue également une totalité complète en elle-même. Tout ce qui provient du Tout est un tout en soi, et parce que la vérité est par nature absolue, Elle demeure le Tout Complet bien que d'innombrables unités, complètes elles aussi, émanent d'Elle ». (Iso-Invocation)

La pensée quantique conçoit la vie universelle comme un Grand Tout où toutes choses sont inter-reliées et constitutionnellement dynamiques. La pensée védique est holographique et considère chaque parcelle de vie comme un Tout Complet, et en perpétuel mouvement issue du Grand Tout. Les deux pensées, quantique et védique, envisagent le monde dans un état d'éternelle interconnexion. La réalité est un mouvement, une énergie ; rien n'est statique. Les formes ne sont que des éventualités, des aspects d'énergie localisée, et **on ne peut pas modifier une partie sans influencer une autre partie et sans en refondre l'ensemble.**

Ceci est d'une importance extrême si nous voulons sonder la profondeur des effets du son sur l'organisme tout entier. Il n'y a pas — répétons-le — de causalité locale. L'univers quantique est un monde de non-séparabilité. Dans la vision védique, le microcosme réfléchit le macrocosme. Tout est lié, relié, uni, inséparable. Un geste, une parole, un son, une musique, une affirmation, une pensée, toutes ces choses agissent **sur l'ensemble de l'organisme et sur l'ensemble de l'univers.**

En prouvant la non-séparabilité de toute vie, de toute énergie, l'expérience scientifique est désormais arrivée aux mêmes
conclusions que la révélation védique. Ce que l'expérience scientifique appelle « matière-énergie », la révélation védique le nomme
prabha ou « énergie supérieure »... Devant l'éternité dynamique
de cette « matière-énergie supérieure » (l'âme) l'existence de la
forme, de l'objet, ou configuration locale, (le corps) passe comme
un songe. Formidable force vitale, cet atome d'énergie supérieure
est à jamais source de vie, de conscience, de sérénité, de mouvement, d'éternelle fraîcheur et de puissance souveraine capable de
maîtriser les émotions négatives et les circonstances défavorables
liées à l'existence dans le monde de la dualité physique. Ces émotions négatives, ces craintes, ces inquiétudes, ces conflits profonds sont dûs à l'identification au corps éphémère et à l'oubli de
l'existence du « nous-même » en tant que **matière-énergie supérieure interconnectée et inséparable du Grand Tout cosmique.**

Reprendre contact avec cette réalité nous libère de la plus
effroyable des solitudes et nous guérit de toutes les supercheries
de la vie de tous les jours. La libération de ces illusions est seule
capable de procurer à l'être vivant un état de santé parfait et
durable.

La matière — énergie supérieure — ne connaît ni destruction, ni ignorance, ni douleur. Elle est *Sat-Chit-Ananda* : pure
existence, pure conscience et pur bonheur. Elle est harmonie parfaite, rythme vital. Lorsque toutes les parcelles d'énergie supérieure
chantent à l'unisson dans la lumière de cette conscience, le cosmos connait un état d'équilibre suprême ; il vibre à la vitesse
inconcevable d'une haute fréquence unique : la musique de son
âme.

En conclusion, on est en droit de se demander si oui ou non,
vraiment, l'âme est une réalité scientifique. D'un côté se lèvent
les physiciens et les médecins (qui ne sont plus d'accord, du reste,
puisque les réalités physiques ont bien du mal à percer la triste
résistance des savants qui gèrent les revenus de la recherche et de
la médecine biologique « majoritaire ») et de l'autre côté se lèvent
les poètes, les visionnaires et les thérapeutes « minoritaires » (ou

si on préfère complémentaires) qui nous préviennent que l'âme ne peut être saisie parfaitement par l'étude en laboratoire...

Au milieu de ce sympathique champ de bataille, l'être observateur, à l'écoute de son corps, de ses pensées, de ses espoirs, de ses rêves, de ses raisons d'être, de ses choix, de ses désirs, de son imagination et de son idéal, passe paisiblement et dit : « Voilà ce que j'ai vu et entendu ; voilà ce que j'ai vécu. Je ne sais pas si cela est scientifique, politique ou métaphysique, je sais simplement que cela est ».

CHAPITRE 1

L'INFLUENCE MYSTÉRIEUSE
DES VIBRATIONS SONORES

« Supposons que durant des jours, des semaines, des années, nous écoutions constamment une même musique ; à la longue les mêmes émotions toujours répétées ne finiraient-elles pas par laisser une empreinte indélébile sur nos caractères et sur notre nature émotive ? »

Cyril Scott
La Musique

« Le champ ouvert au musicien n'est pas un clavier mesquin de sept notes, mais un clavier incommensurable, encore presque tout entier inconnu, où seulement ça et là, séparées par d'épaisses ténèbres inexplorées, quelques unes des millions de touches de tendresse, de passion, de courage, de sérénité, qui le composent, chacune aussi différente des autres qu'un univers d'un autre univers, ont été découvertes par quelques grands artistes, qui nous rendent le service, en éveillant en nous le correspondant du thème qu'ils ont trouvé, de nous montrer quelle richesse, quelle variété, cache à notre insu cette grande nuit impénétrée de notre âme que nous prenons pour du vide et pour du néant ».

Proust

Sans carte sur une mer inconnue

L'Antiquité connaissait bien le caractère thérapeutique de la musique. Elle s'en servait aussi comme transformateur moral, sachant bien que la maladie n'attaque que les terrains faibles et que la faiblesse provient le plus souvent d'une impureté morale. L'adage « la pureté fait la force » reste une vérité première. Pour être efficace, le compositeur, comme l'auditeur, a le devoir de développer un art de vivre en harmonie avec les lois de la nature et dans le respect des véritables valeurs de l'existence. Sans un tel art de vivre, on ne crée que confusion, disharmonie et chaos. Lorsque la science des sons sera parfaitement connue et répandue en Occident, on prendra conscience des innombrables influences que de nos jours nos corps subtils et grossiers doivent subir, alors qu'on les soumet volontairement ou pas, à l'audition de quantités effarantes de bruits, de sons, de rythmes et de toutes sortes de mélodies dont on ignore totalement les effets.

> « Le compositeur en particulier, dit Cyril Scott, s'aventure sans carte sur une mer inconnue en attendant l'inspiration. Ce qu'il reçoit peut élever et inspirer, aussi bien qu'exercer une influence contraire. Sa responsabillité est grande, quoi qu'il l'ignore le plus souvent ».

Par ailleurs, la radio a pris aujourd'hui une telle place que l'auditeur reçoit n'importe quelle sorte de matériau musical n'importe où, n'importe quand et dans n'importe quelle circonstance. Il y a là une inconscience globale quant aux effets indélébiles des sons sur les éléments subtils de la conscience et de la mémoire. Comme tout dans l'univers, la radio n'est en soi ni bonne ni mauvaise. C'est l'utilisation qu'on en fait qui détermine la nature des effets qu'elle ne manque pas de provoquer dans l'ensemble de l'organisme.

Lié par résonance harmonique

Il suffit de parcourir le fameux livre de Cyril Scott, *La Musique, son influence secrète à travers les âges,* pour se rendre compte qu'à cet égard, la plus grande prudence devrait être de mise. Dans cet ouvrage, réédité de nombreuses fois depuis la date de sa première parution en 1933, Scott analyse dans le détail les effets de la musique sur les esprits et le monde des émotions. On y apprend par exemple, à quel point la musique d'Haendel a influencé l'ère victorienne, comment « sa musique solennelle et révérencieuse éveillait, chez certains tempéraments, un sentiment grave d'un sérieux exagéré, qui trouvait son expression dans un penchant morbide pour les décors funéraires, et comment c'était là le résultat d'une fausse conception de la religion et de la vie spirituelle en général ». On y apprend encore comment Beethoven fut un musicien-psychologue, et de quelle manière son genre musical produisait des effets libérateurs sur le subconscient, à un degré poussé.

Les sons, en effet, agissent comme un stimulant, qui engendre un processus de pensée et qui libère les énergies emmagasinées dans le subconscient. Il y a de quoi être effrayé quand on applique ce système de pensée dans le monde actuel, face à certains genres musicaux particulièrement agressifs et à caractère ouvertement ténébreux. Les vibrations de la musique d'Haendel ont influencé son époque. Celles émanant des symphonies de Beethoven ont agi sur les esprits. Similairement, les vibrations violemment destructrices de certains rythmes syncopés, créent chez les adeptes de ces genres musicaux nocifs, des réflexes subconscients, qui vibrent par le phénomène de la résonance, en sympathie avec des émotions liées à la violence et à la destruction. L'humanité a le devoir d'entreprendre des études sérieuses à ce sujet, afin d'informer les malheureuses victimes, qui ne peuvent trouver dans cette musique autre chose que ce qu'elle propose, c'est à dire frustration, douleur, angoisse et destruction. Chaque vibration musicale nous relie au plan d'existence qui lui correspond. Par résonance harmonique on se trouve ainsi lié aux êtres qui peuplent ces plans subtils. Certains sont angéliques, d'autres foncièrement démoniaques. Connaître cette réalité, nous permet de choisir consciemment l'association spécifique qui correspond à la nature de nos désirs...

Certains matériaux musicaux sont nuisibles, d'autres, au contraire, ont des effets calmants et régénérateurs. Si il y a des musiques qui excitent, d'autres stimulent sans énerver. Le caractère orgiaque qui se dégage du rythme syncopé, dit Cyril Scott, rejette délibérément tout contenu spirituel et exaltant, pour provoquer une surexcitation du système nerveux et affaiblir les forces de concentration de la pensée et de contrôle de soi.

À la lumière de ces informations, on ne s'étonne plus du nombre effarant de suicides, de dépressions et de comportements de démission qui frappe notre monde actuel sclérosé par le rythme abrutissant du « disco » et de l'industrie lourde...

Ignorance, passion, vertu

De nombreux ouvrages scientifiques ont été écrits sur la psycho-acoustique auxquels on peut se référer. Malheureusement, ces livres sont souvent rédigés dans un jargon de spécialiste. Il n'est pas nécessaire, toutefois, d'être expert en la matière pour ressentir les différents effets des vibrations sonores sur le corps et l'esprit. Il suffit de fermer les yeux, de se laisser pénétrer par une énergie musicale déterminée, et d'en laisser les effets nous envahir. Même si l'on ne connaît pas les secrets de la musicothérapie, de la neurologie ou de la sémantique musicale, notre voix intérieure, qui sait tout et comprend tout (certains l'appellent le bon sens...), nous dictera trois grandes conclusions selon les diverses sensations reçues.

On retrouve la trace de ces trois groupes de sensations dans le plus connu de tous les textes sanskrits : *La Bhagavad-Gita*. Ce texte à l'éternelle fraîcheur montre clairement comment l'homme est conditionné par certaines forces, ou modes *(gunas)*, inhérentes au plan physique. Ces forces sont classées en trois grandes familles, nommées respectivement force d'ignorance *(tamas)*, force de passion *(raja)* et force de vertu *(sattva)*. Selon le texte, toute la nature matérielle consiste en ces trois énergies. Lorsque l'être vivant entre en contact avec la nature physique, il devient systématiquement conditionné par elles. Il est évident qu'une combinaison de ces trois modes peut influencer l'être qui a pris naissance en ce monde. Parfois, c'est un mélange de passion et d'ignorance qui le fera agir de telle ou telle manière ; d'autres fois, c'est la vertu mêlée de passion qui le poussera à poser tel ou tel acte, à dire telle ou telle parole. Quoi qu'il en soit, il semble que tout dans la matière y compris la culture et les arts, est dirigé par ces énergies, et la musique n'échappe pas à cette règle. Une composition est donc toujours imprégnée, dans un sens ou dans l'autre, par les trois modes de la nature et par conséquent influence l'auditeur selon l'énergie correspondante. Nous allons voir comment il est possible de déceler ces énergies qui imprègnent toutes les vibrations musicales, auxquelles nous sommes si souvent exposés dans le système médiatique actuel. Que nous le voulions ou pas, que nous en soyons conscients ou pas, elles n'ont de cesse d'agir sur nos comportements, sur nos goûts, sur nos attitudes, sur nos caractères et finalement, sur nos destins. Les sensations que l'on peut ressentir alors qu'on se trouve sous l'impact d'une énergie musicale précise sont infinies. Toutefois, elles peuvent être classées en trois grandes familles correspondant aux trois *gunas* :

1) **Les énergies musicales de l'ignorance** :
   Telle musique me rend indolent, insensible, indifférent, inerte. Je me sens abattu, sans énergie, je deviens paresseux, inactif, léthargique. Je sombre dans la torpeur, le laisser-aller ; je manque d'entrain, d'enthousiasme. Je me sens pessimiste, négatif ; plus rien n'a d'importance. J'ai l'impression d'être illusionné ou mentalement dérangé. Tout est ténébreux. La conclusion que je dois en tirer est que ces énergies musicales font naître en moi l'énergie d'ignorance ou d'inertie.

2) **Les énergies musicales de la passion** :
Telle musique provoque en moi une soif de désirs ardents et sans fin. Je sens grandir dans mon coeur les signes d'un grand attachement, d'ambitions égoïstes, de désirs incontrôlables. Elle provoque en moi un sentiment d'avidité. La conclusion que je dois en tirer est que ces énergies musicales font naître en moi les émotions liées au mode de la passion.

3) **Les énergies musicales de la vertu** :
Telle musique me calme, me relaxe sans m'endormir, me détend en me stimulant. Elle me rend plus sûr de moi et m'aide à mieux me concentrer. Elle élève mes pensées vers la beauté, la bonté, la vérité, l'honnêteté. Elle m'élève vers les réalités supérieures, vers l'amour, vers Dieu. Elle m'éclaire et me procure un sentiment de bonheur. Je sens que par toutes les portes de mon corps pénètre un flot de lumière purifiante. La conclusion que je dois en tirer est que ces énergies musicales font naître en moi la vertu.

Un pouvoir transcendantal

Quelquefois, le mode de la passion devient prédominant, écartant ainsi l'influence de la vertu. À d'autres moments, c'est la vertu qui prédomine sur la passion ; et à d'autres moments encore, c'est le *guna* de l'ignorance qui triomphe de la vertu et de la passion. De cette manière, les trois énergies sont constamment en compétition. Les *Védas* montrent à quel point les trois modes de la nature matérielle sont impliqués dans toutes les activités du monde. Se délivrer du charme des trois *gunas* revient à se libérer des limites que nous impose l'atmosphère matérielle. Ainsi, l'être incarné qui devient capable de transcender ces forces se libère du joug de la renaissance et de la mort, des anxiétés sans fin qui y sont liées, et jouit d'un bonheur sans mélange dans cette vie même. L'auditeur conscient de cette réalité, recherche dans son propre intérêt une écoute musicale soit qui cultive le mode de la vertu, soit qui dépasse et transcende tout à la fois vertu, passion et ignorance.

Dans les chapitres suivants, nous verrons comment certaines énergies sonores contenues dans les vibrations de mantras spécifiques, lorsqu'ils sont chantés ou entendus, peuvent nous diriger vers un art de vivre vertueux, entraînant paix, santé, équilibre et bonheur. Nous verrons également comment le son des Noms sacrés contient une forme d'énergie (appelée en sanskrit *param shakti*, énergie interne supérieure), qui a le pouvoir de contrecarrer les effets néfastes des modes de la nature matérielle. Une musique qui supporte un pouvoir transcendantal dépassant vertu, passion et ignorance est apte à délivrer graduellement l'auditeur des chaînes qui le retiennent encore dans l'étroitesse de ces contingences physiques. Une telle musique déverrouille la porte de l'intérieur, et nous propulse vers les immensités inconcevables de la vie de l'âme.

Une nouvelle esthétique musicale

Nombreuses sont les personnes qui se posent la question de l'effet que peut avoir la musique sur l'être vivant. En se basant sur les dernières réalisations des musicothérapeutes, ou par simple intuition, ils perçoivent le besoin urgent d'une réorientation de l'écriture musicale. Qu'ils soient praticiens, spécialistes, musiciens, mélomanes ou simples auditeurs, ils en sont venus à conclure qu'une nouvelle esthétique musicale s'impose. La psycho-acoustique a été étudiée et mise en pratique dans plusieurs anciennes civilisations, et est vraiment sur le point de renaître et d'être appliquée dans le monde moderne. De plus en plus d'études et de recherches sont entreprises dans le but de mieux connaître les réactions de l'être humain au phénomène sonore. Il était temps. Dans un monde où la pollution par le son est omniprésente, et donc source de déséquilibre et de maladie, il est urgent que le son lui-même soit utilisé comme élément équilibrant et régénérateur. Aujourd'hui, être musicien ne suffit plus. Le créateur de musique a la responsabilité de prendre conscience des effets de son invention sur les individus, qui vont en subir les conséquences, qu'elles soient bonnes ou mauvaises. Il en est responsable, comme un arbre est responsable de ses fruits. Si les fruits d'un arbre sont empoisonnés, que fera le jardinier ? Avec sagesse, il coupera cet arbre dangereux et éventuellement, le jettera au feu. La grande sagesse cosmique agit de la même manière avec les sociétés et les empires. Lorsque leurs fruits ne sont plus sains, elle les élimine. Et qu'est-ce que l'art en général — et la musique en particulier — sinon le fruit le plus évident de toute la civilisation humaine, celui qui reflète le plus précisément ses désirs, ses penchants et ses états d'âme ? En considérant le point de vue qui veut que le but de l'existence soit l'élévation de l'être par l'utilisation de la science, de la philosophie et de l'art, il devient évident que l'humanité doit s'autoriser à choisir une forme musicale favorable à la vie de l'esprit et propice à sa réharmonisation globale.

Les remèdes mélodiques de Pythagore

La musique est un baume pour le cœur. Par la suggestion de rythmes et de certaines mélodies, elle offre un remède aux agissements et aux passions humaines. Jamblique, ce théurge néoplatonicien, dit dans ses écrits que Pythagore la jugeait apte à contribuer grandement à la santé, quand on l'utilise d'une manière appropriée. La guérison qui s'obtient ainsi, il la nommait purification. De cette manière, il inventa des remèdes qui devaient réprimer ou expulser les maladies du corps comme celles de l'âme. Pour ses disciples, il disposa et adapta ce qu'on nomme des appareils, ou des dispositifs, concevant divinement le mélange de certaines mélodies diatoniques, chromatiques ou enharmoniques. Par leur intermédiaire, il devenait aisé de transférer, de conduire dans une direction opposée, les passions de l'âme lorsqu'elles s'étaient formées récemment et de manière irrationnelle ou cachée, à savoir la tristesse, la colère, la pitié, les appétits, l'orgueil, l'indolence et la véhémence. Il corrigeait chacune d'elles, selon les règles de la vertu, en les tempérant par des mélodies appropriées, toutes semblabes à des remèdes salutaires. De même chaque soir, lorsque ses disciples allaient se retirer pour dormir, à l'aide de certaines odes et de chants particuliers ils les libéraient des perturbations et des tumultes diurnes, purifiant leurs facultés intellectuelles des flux et des reflux de la nature corporelle, obtenant ainsi que leur sommeil soit calme, leurs rêves plaisants et prophétiques. Lorsqu'à nouveau ils se levaient de leur couche, il les délivrait de leur engourdissement nocturne, du relâchement de la torpeur, par d'autres chants et par des modulations appropriées, soit en jouant seulement de la lyre, soit par l'usage de la voix humaine. Il est donc possible, selon Pythagore, de purifier le corps et l'esprit par les énergies musicales.

Le manuscrit de Su Ma T'sien

Cette confiance dans le pouvoir transformateur des sons était aussi très répandue en Chine, où la science musicale faisait partie de l'éducation des nobles. Dans le très ancien texte des mémoires historiques de Su Ma T'sien, ouvrage qui date d'un siècle avant J.-C., on découvre que les notes justes agissent de façon bénéfique sur la conduite des hommes.

> « Les sons et la musique, c'est ce qui agite et anime les artères et les veines. Ce qui circule par les souffles vitaux et conduit le coeur à l'harmonie et à la rectitude. La note **kong** agit sur la rate et conduit l'homme à la parfaite sainteté. La note **kio** agit sur le foie et conduit l'homme à l'harmonie de la parfaite bonté. La note **tche** agit sur le coeur et conduit l'homme à l'harmonie des rites parfaits. La note **yu** agit sur les reins et conduit l'homme à l'harmonie de la parfaite sagesse. »

À la lecture de ce manuscrit, il est clair que dans la Chine ancienne, guérir les désordres physiques par la vibration sonore était chose courante. En outre, le manuscrit de Su Ma T'sien, cité par Dane Rudhyar dans son très bel ouvrage *La magie du ton et l'art de la musique* nous apprend que les Chinois pensaient avec raison que toute note musicale naît du coeur. Le sentiment, dit l'ancien manuscrit, étant excité à l'intérieur, se manifeste à l'extérieur sous la forme du son. Quand les sons sont devenus beaux, c'est ce qu'on appelle les notes musicales. Ainsi donc (et c'est là où le message de l'écrit prend tout son sens), les notes d'une période troublée sont haineuses et irritées, et le gouvernement est contraire à la raison. Les notes musicales d'un pays qui tombe en ruine sont tristes et soucieuses, et le peuple en est affligé ; les sons et les notes sont en conformité avec le gouvernement. Analysez la musique d'un peuple, d'une nation, d'une race, et vous aurez une image claire des motivations, des désirs et des priorités de la masse des individus qui forment ce peuple. Ainsi, nous pouvons dire sans nous tromper : « Dis-moi ce que tu écoutes, et je te dirai qui tu es ».

Empêcher l'extinction du principe céleste

L'histoire nous apprend que l'ancienne musique chinoise ne supportait pas la spéculation. Elle était réglementée par des rois nobles de coeur. Les dirigeants de cette époque avaient conscience de l'immense influence des vibrations musicales sur le comportement des peuples. Ces rois savaient qu'un mode de vie déréglé entraîne toute une société au désastre. Les arts rituels, la danse, la peinture, et surtout la musique, étaient par conséquent, et d'une certaine manière, réglementés. Cela établissait des principes modérateurs pour les hommes. La musique ne devait jamais être violente, pour ne pas provoquer la violence. Elle ne devait pas être triste pour ne pas entraîner des états d'âme en relation avec ce sentiment nuisible. Elle ne devait pas non plus supporter des sentiments de colère ou de peur, afin de ne pas inciter l'âme à la colère ou à la peur.

Les objets qui émeuvent l'homme sont en nombre infini. Si donc les affections et les haines de l'homme n'ont pas de règle, alors il arrivera qu'à mesure que les objets se présenteront, l'homme se transformera conformément à ces objets. Ce sera l'extinction du principe céleste qui est en lui et l'abandon complet aux passions humaines.

Dans l'ancienne Chine, la musique se devait d'unifier le corps, le coeur et l'esprit, et non pas comme c'est trop souvent le cas depuis que la musique est utilisée de façon anarchique, désunir. Cette dispersion du corps physique, du corps émotionel et du corps mental provoque de graves déséquilibres, qui entraînent des dérapages sociologiques fatals. De tout temps, il a été nécessaire que de nouveaux compositeurs créent des formes musicales qui unissent les sentiments et produisent le calme. Ils nous aident ainsi à redécouvrir notre véritable identité spirituelle et empêchent l'extinction du principe céleste dans nos sociétes. La musique est capable de perfectionner le coeur. C'est un objet d'enseignement, car elle émeut profondément et produit le changement des coutumes et la transformation des moeurs. Les anciens rois chinois veillaient, par conséquent, à ce qu'elle soit conforme à la mesure et au nombre. Ce qui n'est pas, comme certains esprits forts ne vont pas manquer de le penser, l'introduction d'une austérité sombre et sèche. Car la musique produit la joie. Mais la joie manifestée sans art de vivre, entraîne le désordre. Le plaisir sensuel, par exemple, lorsqu'il ne connaît pas de limite, lorsqu'il n'est pas contrôlé par la conscience, ne peut que produire des déréglements cellulaires et d'incurables maladies. C'est pourquoi l'ancienne Chine détermina une règle, un art de vivre, et fit que les sons fussent suffisants pour créer le plaisir, sans aller jusqu'au relâchement. Tous ceux qui instituèrent la musique avaient pour but une joie modérée. Réprimer les excès, adoucir les moeurs, a toujours été le but recherché par les compositeurs de musique qui visaient le travail intérieur et l'expansion de la conscience.

Ce travail de modération, de maîtrise, d'adoucissement et d'expansion se fait toujours mieux dans la simplicité.

Une musique simple qui parle à l'âme

La grande musique est toujours simple. Si elle ne l'est pas, si elle est trop sophistiquée, elle ne nous émeut pas et le travail ne se fait pas. Tout ce qui se passe alors n'est qu'une sorte d'excitation intellectuelle stérile et décourageante. Dans *L'invitation à la musique,* Roland de Candé dit à ce sujet :

> « La grande musique d'aujourd'hui est beaucoup plus difficile à jouer que celle des autres époques. Un pianiste amateur moyen ne peut jouer aucune oeuvre de Boulez ou Stockhausen, ni même Schonberg ou Webern. Une partie de la musique d'aujourd'hui est même si difficile qu'elle exige des interprètes spécialisés. Je ne dis pas que c'est bien ou mal. C'est un fait tout à fait extraordinaire. Des musiques si difficiles aujourd'hui ne peuvent être classiques demain ».

En conséquence si nous voulons avoir une réponse émotive et ressentir les effets transformateurs des énergies musicales, nous rechercherons un art de vivre harmonieux et une musique qui ne fait pas appel à l'analyse intellectuelle, mais qui au contraire, touche directement le fond du coeur, une musique qui, tout simplement, parle directement à l'âme.

Vous avez dit publicitaire ?

Généralement, nous n'écoutons pas la musique, nous l'entendons. Rares sont ceux qui ont le don de l'écoute, car l'écoute est un don de soi. Nous y reviendrons. Mais que ce passe-t-il lorsque l'on entend de la musique ? Celle-ci agit sur nous de manière bénéfique ou non, de manière stimulante ou endormante. Elle peut être musique de fond, à laquelle on ne porte pas attention, mais qui agit insidieusement sur l'ensemble de notre système nerveux. Nous pénétrons, par exemple, dans un magasin. Les haut-parleurs diffusent de la musique, mais nous ne nous y intéressons pas ; nous l'ignorons. Nous nous dirigeons directement vers le rayonnage qui nous intéresse sans y prêter garde. Mais cette musique ne nous ignore pas. Elle s'intéresse à nous. Elle s'introduit sournoisement par ce que le savant Thomas Zébério appellerait les interstices vorticiens, qui sont en fait les centres électro-magnétiques de notre corps. Par ces centres, cette musique se répand et remplit sa mission : rompre nos mécanismes de défense et promouvoir la vente de produits dont nous n'avons pas vraiment besoin. Notre discernement s'endort, et nous voilà en train de remplir inconsciemment notre sac à provisions de toutes sortes d'articles superflus. Telle est la fonction de la musique publicitaire.

On trouve, dans le manuel de musicothérapie de Rolando Benenzon, une expérience du physiologue italien Patria, qui fit des expérimentations historiques et put déterminer l'influence de telle ou telle combinaison de sons sur la circulation sanguine du cerveau. Il essaya entre autres des musiques militaires, comme la « Marseillaise », et put constater que la circulation du sang dans le cerveau augmentait à l'écoute de cette marche militaire. De toute évidence, la musique — qu'elle soit publicitaire ou militaire — agit sur l'ensemble de nos cellules. Comme le remarque Ralph Tegtmeier dans son *Guide des musiques nouvelles* :

> « Nous ne cherchons généralement pas à entretenir avec la musique des rapports parfaitement conscients. Elle est pour nous source de liberté, souvent peut-être la seule liberté que nous connaissions vraiment, et c'est bien pourquoi nous la surestimons. Dès ce moment, nous devenons incapables de méfiance, inaptes à nous protéger efficacement de l'abus qui peut en être fait ».

Un état de vigilance

Il existe un autre cheminement : celui d'être constamment à l'écoute des énergies musicales qui gravitent autour de nous, nous pénètrent et nous suggestionnent, nous soumettant ainsi à leurs influences. Ce cheminement est un état de vigilance, une attitude de guerrier dont le champ de bataille est le corps et le cœur humains. Le mot cœur désigne ici le coeur subtil, qui est situé un peu en arrière du cœur physique. C'est dans ce véritable petit ordinateur organique que sont reçues les forces émotives et sensitives de la musique. Il est souvent nécessaire d'être extrêmement vigilant et constamment sur ses gardes pour se protéger, ou pouvoir au contraire profiter des effets de toutes les énergies musicales et de toutes sortes de sons, qui saturent l'environnement de notre époque. Dans son manuel de musicothérapie, le professeur Benenzon, pédo-psychiatre, se demande :

> « Quels changements sont en cours dans les mécanismes enzymatiques, avec le développement incroyable des sons dans notre civilisation actuelle ? Nous l'ignorons encore, mais vraisemblablement, ils n'annoncent rien de bon pour l'avenir ».

Nous sommes dans l'obligation de reconnaître que la grande majorité des sons produits par « l'âge de la machine » — qu'on les désigne comme musicaux ou non — provoque chez l'adulte comme chez l'enfant, des troubles fonctionnels alarmants et peuvent être mis sans hésitation dans la catégorie des sons nuisibles à la santé et à l'évolution. Mais est-on conscient des effets à court terme des sons sur notre organisme ? Sans méfiance, nous absorbons à longueur d'année toutes sortes de rythmes, de formations d'accords, de mélodies et d'harmonies qui se répètent *ad infinitum*. Savons-nous qu'une même musique, répétée pendant des jours et des mois, produit des émotions qui finissent par tracer un sillon ineffaçable sur nos tempéraments, et influence ainsi le cours de notre vie ? Avant de prendre conscience définitivement des effets de la musique sur l'âme, demandons-nous jusqu'à quel point les sons influencent le corps physique !

Des vaches qui aiment Mozart

Dans les milieux scientifiques, il est de règle d'observer les résultats des différentes expérimentations d'abord sur les plantes et sur les animaux. Lorsque les effets sur la faune et sur la flore sont évidents, il convient ensuite de les appliquer sur l'homme. Suivons cette intégrité scientifique et mentionnons le fait suivant, étudié par le professeur Benenzon :

> « Un fermier de l'Illinois (États-Unis) plaça dans deux serres les mêmes semences dans des conditions identiques de fertilité, d'humidité et de température ; mais dans l'une, il plaça un haut-parleur qui diffusait de la musique vingt-quatre heures sur vingt-quatre. Au bout d'un certain temps, il vit que dans le chassis où il y avait la musique, le maïs avait germé plus rapidement, le poids des grains était plus grand, et le quotient de fertilité de la terre avait augmenté ; les plantes les plus proches du haut-parleur étaient abîmées sous l'effet de la vibration du son. Le succès fut si grand qu'actuellement au Canada, on utilise la musique pour des exploitations et on observe ainsi que les vibrations du son détruisent un micro-organisme (parasite), qui attaquait le maïs. En médecine vétérinaire, on dit en plaisantant que les vaches aiment Mozart et qu'en revanche, Wagner ou le jazz gênent la production de lait. Mais dans les centres américains, on étudie sérieusement le problème. Une statistique de l'Illinois montre que le rendement des vaches dans les étables voisines des aéroports où il y a des jets diminue jusqu'à devenir nul, en raison des bruits ».

On ne peut plus ignorer la puissance des effets du son quel qu'il soit sur la vie en général. La musique agit sur les plantes, sur les animaux, sur les êtres humains. Elle les conditionne à se comporter de telle ou telle manière. Elle les « programme » dans un sens ou dans un autre. L'utilisation de vibrations sonores mélodiques et rythmiques est une méthode ancestrale pratiquée depuis des temps immémoriaux pour maintenir ou transformer le niveau de conscience, et par suite, obtenir un rééquilibrage du corps et de l'esprit.

Un flot d'éclaboussures

Si vous plongez un diapason vibrant exactement à 440 cycles par seconde dans un verre d'eau, vous allez vous faire mouiller parce que le diapason, au contact de l'eau, produit un flot d'éclaboussures. Depuis longtemps, le diapason a été largement remplacé dans les laboratoires par des générateurs de son électroniques, qui sont devenus des instruments de psychophysique. Si les vibrations d'un simple diapason peuvent soulever un flot d'éclaboussures, quelle est la force des vibrations émanant d'un orchestre symphonique ou d'un enregistrement de musique rock?

De toute évidence, il se dégage de toute source musicale une force mesurable, quantifiable, qui nous influence et qui nous dirige. Que nous le voulions ou non, que nous en soyons conscient ou non, cette force vibratoire nous pénètre. Elle s'introduit en nous, se dépose sur chacune de nos cellules, et libère son pouvoir destructeur ou créateur, bénéfique ou maléfique. Telle musique a le pouvoir de nous rendre agressif; telle autre a le pouvoir de nous rendre bienveillant. Comme l'électricité peut produire du froid ou du chaud, la musique peut enclencher un processus de paix, ou déclencher une économie de guerre. C'est une énergie neutre; le reste nous appartient. C'est à nous d'être responsables de nos désirs, et de savoir ce que nous voulons vraiment. Voulons-nous être violents? Écoutons de la musique qui nous semble violente. Voulons-nous connaître la paix? Prenons un bain de musique qui nous paraît douce et paisible. Nous avons le choix: s'abreuver de vibrations lourdes et violentes ou se nourrir d'ondes pures et de hautes fréquences. Hélène Caya, à la fin de son livre *Du son jaillit la lumière* affirme: «Plus la musique est douce, plus l'amour passe». Et cette douceur n'exclut pas la force.

Une question de libre arbitre

La véritable force n'est pas une excitation momentanée, où les réserves de l'organisme tout entier sont brulées. C'est au contraire une énergie douce, irrésistible, lumineuse et puissante. À ce niveau, rien n'est bon, rien n'est mauvais. C'est à chacun de savoir ce qu'il veut obtenir par l'audition d'une énergie musicale particulière, et de développer suffisamment sa sensibilité, de manière à ressentir les effets sur son propre corps et dans son propre esprit. Il suffit d'être à l'écoute, de ne pas subir aveuglément l'influence de vibrations, et d'examiner nos réactions lorsque les ondes invisibles d'une musique nous touchent. Sommes-nous énervés ? Sommes-nous calmes ? Voulons-nous rester dans un état d'énervement ? Après analyse, une décision s'impose. Si nous jugeons que telle ou telle onde musicale produit en nous des effets qui nous sont néfastes, qui entraînent fatigue nerveuse, manque de concentration ou agressivité, rien ne nous empêche d'en supprimer la source, quand cela est possible. Rien ne nous empêche d'éteindre la radio ou la télévision, ou de changer de programme. Rien ne nous empêche de quitter le lieu où est jouée une forme musicale que nous jugeons inadéquate. C'est une question de libre arbitre.

Musique et destin

On prend rapidement conscience du fait suivant : les mêmes émotions et sentiments sont toujours provoqués par les mêmes compositions ou par des arrangements harmoniques et rythmiques de nature identique. C'est bien là que réside la plus grande menace, ou la plus grande opportunité. Par la musique, certains sentiments sont éveillés, et l'expérience est renouvelée de nombreuses fois. Ces émotions créent des habitudes, et ces habitudes dessinent le caractère. C'est le caractère d'un individu qui est le créateur de son destin.

La nature essentielle de nos musiques s'imprime irrémédiablement dans nos moeurs, dans nos gestes, dans nos comportements. L'axiome le dit : « Ainsi dans la musique, de même dans la vie ».

L'ennemi no. 1 de la santé : le bruit

Selon la définition médicale la plus largement acceptée, le bruit peut être défini comme un son qui, lorsqu'il atteint un certain degré d'intensité, fait baisser la réserve d'énergie du corps. Pour certains, être bruyant c'est être puissant. Voilà pourquoi le bruit est devenu le fléau du XXe siècle. Pour un pays industrialisé d'environ 50 millions d'habitants, le coût santé du bruit atteint 5 milliards de dollars, la même dépense que pour contrer les effets nocifs du tabagisme... Le bruit est responsable de 11% des accidents de travail et de 15 pour cent des journées perdues.

Ces pourcentages sont probablement en-dessous de la réalité, car bien des malades ne peuvent déterminer la cause de leurs malaises. De plus, bon nombre de médecins n'ont pas encore totalement pris connaissance des blessures physiques et psychologiques provoquées par ces sirènes antivol au déclenchement intempestif, ces motocyclettes au silencieux trafiqué, ces marteaux piqueurs agressifs, ces voitures de police, de pompiers ou ces ambulances au hurlement dévastateur, ces amplificateurs de son poussés jusqu'à la limite du supportable. Sans parler des appels stridents et soudains des téléphones, et de ces avertisseurs de voiture qui nous brisent le coeur et qui sont les tristes et terribles compagnons de nos vies.

Le bruit est en outre la cause de près du quart des maladies mentales. En ébranlant jusqu'au déséquilibre, le bruit agresse sournoisement le système nerveux et provoque fatigue, vertiges, ulcères, troubles cardio-vasculaires, troubles de comportement, troubles hormonaux, déprimes, quand il ne rend pas fou. Quatre maux de tête sur cinq sont dûs au bruit, et coûtent 8 millions de dollars par jour à la collectivité. Dans les zones urbaines très bruyantes, la consommation de tranquillisants est beaucoup plus importante que la moyenne. Obsessionnel, le bruit conduit souvent au suicide, au meurtre ou au divorce en entraînant des modifications du caractère. Il n'y a pas d'accoutumance physiologique au bruit ; en d'autres mots, l'organisme le subit sans s'y habituer.

Le décibel-antidote : le chant de la nature

L'antidote contre ces bruits apocalyptiques, on le trouve dans la nature. La musique de la nature est la voie la plus facile pour atteindre le jardin abstrait de l'immanence et de l'harmonie solaire. Lorsqu'on devient plus sensible à la beauté de tout ce qui murmure et chante dans la création, de grands espaces s'ouvrent en nous et on se sent plus proche de l'intelligence christique qui règne à l'intérieur des éléments. Il s'en suit une harmonisation de toutes les cellules du corps. Cet état provoque une sensation incomparable qui est à même de guérir toutes les modifications de la structure de l'organisme, ou lésions, causées par le bruit. Une cascade peut faire plus de bruit qu'un moteur à explosion ; mais si l'un épuise, l'autre soulage. Le grondement des vagues de l'océan n'est pas moins assourdissant que les 90 ou 100 décibels d'une rue à trafic intense, mais il repose. Il n'y a pas que le mugissement de la mer et l'intense bourdonnement du trafic urbain qui soient égaux en nombre de décibels. À puissance égale, un morceau de rock lourd semblera bien plus intense qu'un concerto de Mozart, alors qu'ils produiront et émettront le même nombre de décibels. Rappelons que le décibel (dB) est l'unité scientifique de mesure du son ; *déci,* pour un dixième et *bel,* d'après Alexandre Graham Bell, inventeur du téléphone. Un son dix fois plus fort qu'un autre est dit avoir une intensité de dix décibels plus élevée, et chaque fois qu'on augmente de dix fois l'intensité, on ajoute dix décibels au niveau du son. Un son mille fois plus intense qu'un autre est 30 décibels plus fort ; un son cent fois plus intense est 50 décibels plus fort, etc.

Voilà ce qu'écrivent S.S. Stevens et Fred Warnshofsky à propos des ondes sonores du milieu aérien dans leur étude sur le son et l'audition (*Le monde des sciences,* collection Time Life) :

« Le décibel fournit une relation approximative entre l'intensité physique du son et l'intensité subjective de la sensation sonore qu'il produit. Pour mesurer les sons de la vie quotidienne, un niveau de zéro décibel représente le son le plus faible audible par une oreille moyenne. Les sons deviennent physiquement douloureux au-dessus de 130 décibels ».

Quand la musique rend sourd

Maintenant, prenons un appareil de mesure et rendons-nous dans un concert rock, ou dans une discothèque où les sonorisations sont poussées à l'extrème. L'appareil enregistre volontiers des pointes jusqu'à 120, 130 et même 140 dB ! Le seuil de la douleur est dépassé et des lésions sont à craindre. Le « walkman », (baladeur), s'écoute souvent à haute intensité et sur une longue période de temps. Il fait des ravages. En France, le Conseil de Révision de l'armée note d'année en année une détérioration du niveau de l'ouïe des nouvelles générations.

Selon Annie Moch, maître-assistante en psychologie à l'Université de Paris qui a publié en 1985 une étude approfondie sur la question, des observations menées aux États-Unis indiquent que la perte d'audition, après avoir subi un bruit intense, ne doit pas dépasser un niveau de 10 dB deux minutes après l'exposition sous peine de provoquer parfois une surdité définitive, surtout si ce genre de traumatisme est fréquemment répété. Or, des mesures effectuées avant et après audition des concerts rocks — voire de musique enregistrée — font état de perte auditive allant jusqu'à 30 dB chez des adolescents de 16 à 18 ans.

Richard Cannavo — dans une enquête sur la musique qui rend sourd et sur la guerre du bruit — explique que l'état auditif des musiciens eux-mêmes serait une bonne indication des effets d'une intensité sonore trop élevée. Ainsi, dit-il, « sur 43 professionnels du rock suivis par des scientifiques, la perte moyenne s'élevait à 20 dB au bout de six ans d'activité ». Même les musiciens de musique classique doivent être prudents. Des spécialistes qui ont examiné les 110 musiciens de l'Orchestre de Suisse Romande affirment que près de la moitié présente une audition perturbée, et 30% subissent bourdonnements d'oreilles ou même vertiges.

Hypertrophie sonore et dégénérescence

Selon l'organisation mondiale de la santé, vers l'an 2000 le nombre des malentendants augmentera de 20 pour cent. C'est ce qui fait dire à Richard Cannavo : « Un comble, tout de même. À l'ère de la musique reine, de la musique omniprésente, de la musique universelle, voici venir la génération des enfants sourds » ! Selon un rapport de l'institut de technologie de Leeds, près d'un million d'adolescents anglais seraient atteints de troubles de l'audition par la faute d'une écoute inconsidérée de musique à pleine puissance. On constate que ce qu'il convient d'appeler l'hypertrophie sonore est pour une large part à l'origine d'un vieillissement prématuré des structures de l'oreille interne. Le docteur Claude Illouz, assistant à la Fondation Rothschild Manin, explique que le niveau d'intensité et la durée d'écoute sont étroitement liés dans le mécanisme de dégénérescence. Il suffit en effet d'une vibration de durée très brève, si elle s'avère de très forte intensité, pour déterminer un traumatisme sonore. À l'inverse, un bruit très prolongé peut entraîner des lésions définitives, même s'il est relativement peu intense. Notons que les intensités maximales produites par les systèmes d'amplification actuels dépassent souvent de loin 120 dB, surtout dans les graves ! Quand on prend conscience que les concerts durent parfois deux heures, il devient facile de comprendre pourquoi tant de personnes, à l'heure actuelle, souffrent de malaises auditifs considérables.

Le problème réside surtout dans le fait que l'on ne se rend pas vraiment compte de sa surdité naissante. On peut dire avec certitude que tous les résidents des grandes cités modernes souffrent d'hypertrophie sonore, avec tous les déséquilibres que cela comporte au niveau cellulaire. Pour prévenir et soulager cette maladie sournoise et rarement diagnostiquée, ce n'est pas des tranquilisants chimiques qu'il faut ordonner comme la médecine d'École le fait si souvent. La nouvelle ordonnance devrait plutôt être constituée de cure de silence, de promenades dans la nature avec chants d'oiseaux et clapotis de ruisseaux. J'ajoute à toutes fins utiles que ces sonorités douces et mélodieuses sont particulièrement efficaces pour soulager les troubles de comportement causés par les maladies de civilisation, même si certains esprits critiques ne les reconnaissent pas encore à leur juste valeur. Les musiques de relaxation basées sur des études sérieuses, les chants méditatifs inspirés ainsi que toutes vibrations sonores puissantes à même de guérir les malaises liés à la surexposition au bruit, devraient également être prescrits.

Afin de percevoir le chant des atomes, chant ou énergie électromagnétique subtil appartenant au spectre de la vie, l'homme actuel doit cesser de « faire du bruit ». Sans cet acte volontaire, il restera sourd aux vibrations de son âme intemporelle. Dans «Psychophysiologie et psychophonie» (*L'homme sonore,* Épi Éditeurs, Paris, 1977), Marie-Louise Aucher écrit :

> « Qui a vu une petite souris blanche soumise quelques secondes à une sirène intense faire une crise épileptique audiogène qui est mortelle chez les sujets sensibles, a compris que le bruit n'est pas qu'une sensation gênante à laquelle on s'habitue ou une source de surdité professionnelle, mais le grand facteur de déséquilibre nerveux dans le monde moderne. L'effet convulsivant s'accompagne d'une perturbation générale au niveau de tous les viscères et de troubles névrotiques. Le psychophysiologiste l'explique en localisant l'action des bruits dans les centres régulateurs et unificateurs du tronc cérébral, ces centres de la sagesse du corps (y compris par le cerveau de l'esprit) qui deviennent centres de la folie du corps. »

Je veux croire que dans un proche futur, les nouveaux médecins seront plus intéressés au bien-être des malades qu'à la croissance de l'industrie des barbituriques. La musique de l'âme, contrairement aux médicaments analgésiques, n'est pas en contradiction avec le serment d'Hippocrate...

La musique influence nos sentiments

Joseph Stuessy, professeur de musique à L'Université du Texas à San Antonio, fait cette mise en garde :

> « Toute musique, quelle qu'elle soit, influence notre humeur, nos sentiments, nos attitudes, et le comportement qui en résulte ».

On trouve dans le Cantique des Cantiques — ce récit biblique qui est l'un des plus beaux chant d'amour jamais écrits — l'histoire d'une belle Sulamite et de son amour pour un jeune berger. Leur union est menacée par le roi Salomon, qui met en évidence toute sa sagesse et toute sa gloire pour essayer de ravir le coeur de la jeune femme, mais en vain. Désireuse de demeurer fidèle à son berger, la Sulamite presse ses compagnes de ne pas éveiller en elle l'attrait pour le roi qui cherche à gagner son cœur. (Cantique des Cantiques, 2.7) Elle sait par intuition que les propos qui visent la glorification du roi risquent d'exercer sur elle une influence et d'altérer ses sentiments. Elle refuse donc catégoriquement de les écouter. Elle ne veut pas les entendre. Elle est consciente que certaines paroles pourraient avoir le pouvoir de transformer ses désirs, et que le comportement qui résulterait d'une telle écoute ne manquerait pas d'entrer en conflit avec son véritable sentiment.

Que penser de cette attitude et du précieux enseignement qu'elle supporte face à la musique chantée, qui constitue l'essentiel des programmes radiophoniques actuels et dont nos oreilles sont littéralement saturées jour et nuit ? Quel que soit leur genre musical, la plupart des chansons dites « commerciales » remportent un grand succès auprès d'un très large public souvent ignorant des effets à long terme d'une telle écoute. Ces chansons sont diffusées jusqu'à dix fois par jour, créant ainsi impression sur impression, influence sur influence, et force sur force dans le mental de l'auditeur. Inutile de préciser qu'un tel bombardement sonore creuse un sillon profond dans le cerveau, et que les désirs qui en découlent sont directement liés au sens et à l'intention qu'auteurs, compositeurs et interprètes ont voulu, consciemment ou non, injecter dans leur création.

Il ne faudrait surtout pas conclure hâtivement que toutes les musiques chantées soient nuisibles ! Il est indéniable que les créateurs nous proposent quelquefois des textes qui inspirent l'être intime, et des rythmes qui élèvent et stimulent les énergies du corps. L'effet cumulatif de ces mélodies hautement inspirées est alors bénéfique. Toutes les chansons populaires qui portent d'authentiques sentiments et ne sont pas tout bêtement une récitation machinale sur laquelle on a surajouté quelques accords, ont tendance à réhabiliter la paix et l'harmonie de l'âme. Toutefois il y a de quoi s'inquiéter quand on prend connaissance des textes violemment suggestifs de certains « succès ». Ici encore, c'est à chacun d'avoir suffisamment de discrimination pour faire la part des choses. Il est évident que la nourriture de l'un est le poison de l'autre... Ces textes chantés — ou hurlés — sont toutefois francs dans leurs intentions. Ils ne suggèrent pas, mais proposent directement à qui veut bien les écouter des clameurs d'angoisse et des cris d'agonie. Quels ravages ces sons créent dans les esprits !

Heureusement, rien n'est définitif, et toute anomalie peut être corrigée ; « aucune damnation n'est éternelle ». L'être vivant a toujours le privilège de se réformer et de se diriger vers des influences reliées au plan divin, ou tout au moins aux forces vertueuses de la nature. Mais le mal est fait. Bien que ce prétendu mal puisse éventuellement devenir un bien au sens évolutif — puisque tout obstacle n'est en fait qu'un tremplin — il reste que les réactions sociologiques causées par ces influences néfastes seront fortement teintées de violence, de basse sensualité et de nihilisme dépressif. Ainsi, l'équilibre ou le déséquilibre des sociétés est le fruit direct des musiques qu'elles créent et qu'elles encouragent, et non l'inverse. Lorsque le thème musical et le texte chanté provoquent la joie, l'espoir, l'assurance saine ou encore, l'amour sans attente, il n'y a alors aucune contre-indication et l'esprit en est favorablement influencé.

Les rites de passage et le sens perdu du rituel

Lors d'une récente conversation avec l'éditeur de la revue *The Quest,* Don Campbell — fondateur de l'Institut pour la musique, la Santé et l'Éducation, et auteur du livre *Introduction to the Musical Brain* — a parlé de la musique rock en tant que stimulation sonore :

« Ayant travaillé avec de nombreux enfants souffrants de graves retards intellectuels, j'ai remarqué l'utilisation de médicaments paradoxologiques. On donne à un enfant hyperactif du ritalin. Quiconque connaît ce médicament sait qu'il accélère le système neurologique et que ce n'est pas un produit relaxant, à moins que le sujet qui l'absorbe soit d'ores et déjà hyperactif. Par conséquent, en faisant prendre à un enfant hyperactif cette drogue (ce que je ne préconise pas), les médecins arrivent à le calmer. Tel est le paradoxe qui s'avère également vrai dans le domaine de la musique. Nous évoluons dans une société où la jeune génération n'a pas de rite de passage (cérémonie destinée à aider l'individu à surmonter une crise provoquée par un changement de ses caractères physiologiques ou sociaux). Mon grand-père et même mon père n'avaient nullement besoin de cette sorte de stimulation sonore qu'est la musique rock — que requiert la jeunesse d'aujourd'hui — parce qu'après l'école, ils travaillaient dans les champs durant deux heures. Ils avaient par conséquent le rythme dans le corps ; ils travaillaient près de la nature et étaient capables de se régénérer et de se ressourcer à travers leur propre modèle rythmique. Éventuellement, les nouvelles formes de musique violemment rythmées (hard rock, hard core, etc.) peuvent nous sembler horriblement difficiles à supporter. Elles peuvent même représenter une certaine forme de menace pour certains d'entre nous, qui ne trouvons en elles aucun intérêt esthétique. Pourtant, physiologiquement, nous commençons à comprendre que ces genres musicaux travaillent en réalité d'une manière paradoxale et aident ceux qui en sont amateurs à trouver un appui, une base, à se relier à quelque chose, à libérer leur stress, et à leur procurer un sens réel d'un bien-être intérieur dans la mesure où le système de société actuel ne leur apporte aucune sorte d'échange véritablement physique qui se rapporte au rythme spirituel essentiel, comme il en a été depuis toujours au sein des sociétés non-occidentales ».

Retrouvons donc le sens du rituel, le sens de la cérémonie, le sens du sacré, et nous ne sentirons plus le besoin des défoulements sonores dévastateurs. Les penseurs du monde moderne se demandent parfois pourquoi la société propose tant de divertissements à caractère pervers et violent. On ne compte plus les films d'horreur, pornographiques, et les établissements où la consommation de stupéfiants de toutes sortes est tolérée, toutes ces activités ayant comme support systématique des bandes sonores fortement agressantes. Les propos de Don Campbell portent en eux une réponse. L'absence totale de rites de passage dans la société actuelle a tendance à provoquer, chez ceux qui en sont victimes, la nécessité de compenser cette lacune sociologique essentielle.

Quelle musique est bonne à écouter ?

Pour répondre à cette question, je n'écouterai ni mes sentiments ni mes inclinations. J'irai plutôt frapper à la porte d'un docteur. Dans les dernières pages de son ouvrage d'information, *Your body doesn't lie*, le docteur John Diamond partage le fruit de ses recherches — découvertes qui viennent corroborer celles de nombreux chercheurs — quand aux effets de la musique sur les plantes et sur l'organisme humain. Il a eu l'idée de mesurer la réaction musculaire chez les patients soumis à l'audition de différents types de musique.

Il écrit dans le compte rendu de ses expériences :

> « Après avoir mis sous observation des centaines de sujets, j'en suis venu à la conclusion qu'écouter de la musique rock fréquemment provoque un affaiblissement général de tout le système musculaire. La pression normale requise pour dominer un muscle deltoïde (muscle de l'épaule, de forme triangulaire, élévateur du bras) de forte constitution, chez un adulte est d'environ 40 à 45 livres. Lorsque les mesures sont prises alors que le sujet l'entend, une pression de seulement 10 à 15 livres est nécessaire. Chaque muscle important est relié à un organe. Cela signifie que tous les organes de notre corps sont affectés par une large proportion des musiques populaires auxquelles nous sommes exposés chaque jour. Si nous additionnons les heures durant lesquelles ces musiques sont diffusées partout dans le monde à l'heure actuelle, on ne peut que réaliser l'énormité du problème. Le rythme anormal de la pulsation rock (rythme anapestique — da-da-Da) et le volume du niveau-bruit combinés ensemble occasionnent une faiblesse générale de tout l'organisme. Une musique nuisible diminue l'énergie physique quel que soit le volume auquel elle est écoutée. »

Telles sont les conclusions auxquelles est arrivé le docteur Diamond après des années d'expérimentation.

D'autres recherches en clinique ont montré qu'avec le rythme anapestique, le corps tout entier est plongé dans une sorte d'état d'alerte. Cet état provoque une diminution de l'attention, de l'hyperactivité, de l'inquiétude, de la nervosité et une constante agitation. Il devient difficile de prendre des décisions, et le sentiment que les choses ne vont pas comme elles devraient aller s'installe. Suit une perte d'énergie pour aucune raison apparente.

Après une telle mise en garde de la part des médecins, on est en droit de se demander si une des musiques les plus diffusées dans les pays industrialisés ne représente pas la plus grande source de désordre cellulaire. Les nouvelles maladies, dites « de civilisations » sont toujours causées par la pollution. Pollution chimique, pollution psychologique et désormais... pollution sonore.

Pour terminer, on ne peut passer sous silence le livre de Hal A. Lingerman, *The healing Energies of Music,* dans lequel on lit :

> « La musique destructrice provoque des dommages non seulement dans votre corps physique, mais aussi dans votre corps émotionnel et mental. De tels sons affectent entièrement votre aura, et font naître en vous, le sentiment d'être psychologiquement déchiré, fragmenté, inquiet, isolé, agressif, tendu et sans le moindre but. De telles musiques disperseront vos plans, elles obscurciront vos buts. Par dessus tout, la musique discordante vous éloignera de votre guide intérieur, vous séparant de l'union constante avec votre Créateur, vous laissant dans un sentiment de totale solitude. Enfin, de telles sonorités vous exposeront à être contrôlé par de nombreuses vibrations négatives extrêmement puissantes et dangereuses. »

Les musiques qui calment

Il est urgent de saisir à quel point la musique rituelle, sacrée, méditative ou dévotionnelle peut nous guérir et offrir une solution efficace au dérèglement et déséquilibre dont souffre la civilisation humaine, en nous aidant à redécouvrir la voix du coeur et en nous guidant vers les sphères supérieures de la vie, qui représentent notre terre d'origine, quelle que soit notre race ou notre appartenance religieuse. Son véritable rôle se dévoile alors et on découvre la musique de l'âme. Celle-ci relie les êtres vivants entre eux, en leur faisant découvrir leur véritable identité spirituelle. Enfin, elle permet d'établir une relation entre l'être intime et le Tout Complet, dont elle est partie intégrante et dont elle possède les qualités, en dehors de toute considération limitative de temps et d'espace.

Quoi qu'il en soit, ce n'est pas facile d'être sélectif dans ce que nous écoutons aujourd'hui, car la musique est omniprésente :

dans les rues, dans les boutiques, dans les banques, les transports en commun, au bureau, à la maison, partout. On peut dire que l'on assiste, impuissants, au comble de la désinvolture. Étant un des moyens les plus puissants de transformation des moeurs elle est utilisée n'importe où, par n'importe qui et n'importe comment ! Mais ce qui est encore plus alarmant, c'est de constater que son volume sonore devient de plus en plus fort. Que ce soit dans les immenses salles de concert ou par l'explosion du célèbre « walkman », la puissance des décibels est sauvagement libérée.

Certains médecins tirent la sonnette d'alarme et on assiste par bonheur au contrecoup du bruit : de plus en plus d'amateurs se tournent vers des musiques plus acoustiques, plus douces, plus éthérées, démontrant ainsi que le chant de la nature est celui qui plaît le plus à l'âme.

Le maître Mikhaël Aïvanhov dit dans ses conférences :

« La musique ordinaire éveille les passions humaines. Ainsi, dès qu'elle commence à jouer, on se sent poussé à commettre des bêtises ; on devient un peu fou. Des jeunes gens me l'ont avoué. En l'entendant, ils deviennent prêts à se jeter dans n'importe quelle aventure. Cette musique excite ; elle rend fou. Quand arrivera-t-on à la musique qui lie au monde spirituel, qui calme, apaise et inspire ? ».

Les musiques qui calment, apaisent et inspirent peuvent soulager le monde. Nulle parole ne peut leur être comparée. Quand on s'adresse à nous, on nous invite à êtres honnêtes, bons, et à ne pas faire aux autres ce qu'on ne voudrait pas qu'ils nous fassent. Mais ces mots ne pénètrent pas forcément le cœur. Ils restent souvent en surface et sont par conséquent inefficaces. De cette manière, on ne peut intégrer dans notre vie les concepts qu'ils représentent. Par contre, la musique qui calme et qui apaise produit une image dans la pensée et cette image entre dans le coeur. On désire alors réaliser en nous et autour de nous cette image de santé, de beauté, de paix, de bonté et de pureté que l'on a perçue. On prend la décision de vivre ce qui n'était resté qu'à la superficie de notre être.

La musique instrumentale, de même que le chant méditatif représente une vibration qui offre l'avantage de n'être pas exprimée par des mots compréhensibles, susceptibles d'éveiller l'esprit de contradiction. Dans l'état de paix mentale, l'esprit d'opposition n'a pas l'occasion de s'affirmer. C'est ainsi que l'écoute d'une vibration sonore suggérant des qualités physiques ou morales peut faciliter l'acquisition de ces qualités.

Audition et alimentation

Est-il possible de modifier ou de perfectionner son audition en améliorant sa façon de s'alimenter ? Il semble que oui.

Aveline et Michio Kushi, conférenciers recherchés et auteurs du livre *Grossesse macrobiotique et soins au nouveau-né,* font mention dans leurs études que les oreilles des nouveaux-nés qui sont petites, pointues en haut et plutôt situées vers le haut de la tête, sont le signe d'un excès de produits animaux consommés pendant la grossesse. Or, le pavillon — la partie visible de l'oreille — lorsqu'il n'est pas suffisamment développé, ne peut concentrer le son et l'orienter vers l'entrée du conduit auditif de manière parfaite, ce qui diminue sensiblement le rassemblement des ondes vers la membrane extrêmement tendue du tympan. L'importance du développement de l'oreille externe est démontré dans la nature par un petit renard des sables — le fennec — qui hante le Sahara la nuit. Ses pavillons géants lui servent à recueillir les sons les plus faibles, qui sont produits dans l'obscurité par ses proies.

On voit, d'une part (par l'exemple du renard des sables), que le développement de l'oreille externe constitue un facteur important dans la qualité de l'audition, et d'autre part (par les recherches de monsieur et madame Kushi) que le bon ou mauvais développement de l'oreille externe est déterminé avant la naissance par l'alimentation de la mère. Les mères qui désirent voir leurs enfants jouir d'une audition parfaite devraient s'abstenir, au moins pendant la grossesse, de toute nourriture animale (viande, poisson, oeufs), à l'exception de produits laitiers. Pour ceux et celles qui craignent une carence de protéines due à la non-consommation de chair animale, qu'ils sachent que leurs craintes sont non-fondées, et que s'ils aspirent à jouir non seulement d'une audition claire durant toute leur vie terrestre, mais également d'une meilleure santé physique et psychologique, il leur est vivement recommandé de s'abstenir de toute chair animale.

Dans leurs recherches sur le cancer et l'alimentation, Chantal Drolet et Anne-Marie Sicotte nous rapellent que le vingtième siècle est responsable de changements alimentaires radicaux. Une surconsommation de gras, surtout animal, s'avère sans aucun doute la plus dangereuse des innovations. Dans un article sur « *l'alimentation qui tue* », paru dans la revue *Guide Ressources,* elles affirment :

> « Des études internationales prouvent que la viande et le gras animal sont les aliments les plus susceptibles de créer un terrain favorable à l'apparition du cancer ».

Rappelons qu'un canadien sur trois (c'est énorme) sera atteint d'un cancer au cours de sa vie. En 1988, les statistiques font état de 100,000 nouveaux cas de cancer, dont près de 60 000 décès. La situation est alarmante. Le docteur Verner Zabel n'hésite pas à écrire :

> « La fréquence du cancer chez l'humain est proportionnelle à la quantité de viande qu'il consomme ».

Des substances morbides dans l'oreille

Existe-t-il un rapport entre le cancer, la musique, la qualité auditive et la manière de s'alimenter ? Oui !

La musique peut agir, peut soulager et même aller dans certains cas jusqu'à guérir. Mais elle reste sans force et inefficace si l'auditeur ne se prend pas en main. S'il continue à se nourrir de façon anarchique, et sans aucun respect pour les lois de la vie, il ne pourra percevoir que de manière incomplète les énergies subtiles du rythme et de l'harmonie qui sont aptes à le guérir. Comment peut-on profiter d'une bonne audition (et surtout du don de clairaudience) lorsque l'intestin est submergé par des phénomènes de décomposition d'albumine, et que le foie et l'ensemble des cellules de l'organisme ne peuvent soutenir la cadence de désintoxication ?

Dès 1893, le médecin Louis Kuhne dans son ouvrage intitulé ; *La nouvelle science de guérir* démontrait l'unité des maladies et le bien-fondé d'une alimentation végétarienne. Il a donné comme cause de la maladie l'encombrement de l'organisme par les produits pathogènes qui résultent d'une mauvaise digestion. Digestion insuffisante provoquée — on s'en doute — par une alimentation pernicieuse et carnée. Ces substances étrangères, provenant pour la plupart de la consommation de chair animale, se déposent peu à peu à certains endroits du corps, surtout dans le voisinage des organes sécréteurs. Par la suite, l'encombrement continue vers les parties plus éloignées, principalement vers les parties supérieures du corps, c'est-à-dire le cou, la tête, et donc bien entendu, les oreilles...

Ce processus d'intoxication de certaines cellules est impossible et inconcevable sans un rapport intime avec d'autres symptômes. Lorsque les oreilles sont atteintes, il y a surcharge de tout le corps en substances fermentescibles. La mauvaise alimentation entraîne une mauvaise digestion, qui provoque elle-même une invasion de matières étrangères, fermentées et gazeuses, de tout le corps. Quand ces substances prennent le chemin des oreilles (reliées à la trachée par la trompe d'Eustache), l'organe délicat de l'ouïe s'obstrue et se cartilaginifie, ce qui crée de fines lésions au niveau du tympan et le rend incapable de vibrer d'une manière normale sous l'action des ondes sonores. C'est ainsi que se produit la catarrhe de l'oreille (inflammation des muqueuses s'accompagnant d'une hypersécrétion des glandes).
Louis Kuhne précise :

« Les produits pathogènes provenant de la consommation de chair animale se déposent surtout au centre de l'oreille. Il arrive souvent alors qu'il se présente des états aigus quand la pression d'en bas est forte. Il se forme à l'intérieur de l'oreille de véritables foyers purulents, qui éliminent constamment du pus et des substances étrangères en fermentation, lesquels produisent le flux d'oreille que tout le monde connaît. Si cet état aigu ne se guérit pas à temps d'une manière naturelle, il a toujours pour conséquence des accumulations croissantes de matières morbides et souvent même, la destruction directe de l'organe de l'ouïe, dont la condition ne fait qu'empirer quand on cherche à étouffer cet état aigu à l'aide de médicaments ».

Pour mieux comprendre ce qui se passe au niveau de l'oreille lorsque le corps est surchargé, il est nécessaire de réaliser l'importance de la trompe d'Eustache (de l'anatomiste Eustachi). Ses conduits ont pour fonction d'égaliser la pression de l'air de chaque côté du tympan qui lui, reçoit la vibration sonore. Cette compensation est automatique et n'est pas ressentie si les changements de pression sont progressifs. De brusques changements de pression pendant la descente d'un avion ou d'un ascenseur, par exemple, peuvent être ressentis dans l'oreille jusqu'à ce qu'on avale ou que l'on baille pour ouvrir suffisamment les trompes d'Eustache, afin que la pression de l'air s'égalise. L'incapacité pour les trompes d'Eustache de réaliser cette fonction est évidente lorsqu'on a une surcharge de substances morbides qui les obstrue (rhume ou infection). La pression dans l'oreille moyenne descend alors au-dessous de la pression extérieure, car l'air de l'oreille moyenne est absorbé graduellement par les tissus qui l'environnent. Une pression inégale sur le tympan assourdit l'audition, et les sons semblent être filtrés à travers du coton.

Détecter les sons les plus subtils

Une alimentation végétarienne nous évitera tous ces problèmes. En se nourrissant de fruits, de légumes, de produits laitiers et de toutes sortes de céréales complètes, le corps et l'esprit se libèrent et nous sommes en mesure d'être à l'écoute des grandes vibrations universelles, qui nous parviennent sans cesse mais que nos oreilles obstruées ne peuvent percevoir. La musique des sphères et la musique de l'âme ne sauraient être captées par l'oreille surchargée des fermentations abominables provoquées par la mauvaise digestion de cadavres. L'agonie des bêtes, massacrées sans pitié dans des abattoirs sanguinolents, se trouve absorbée par le corps et bloque le flux divin des énergies supérieures. L'humanité carnivore devient ainsi impuissante à percevoir les hautes vérités de l'être et s'interdit tragiquement l'accès aux influences miraculeuses des vibrations célestes. Ces assiettes « gastronomiques », assaisonnées de douleur, la rendent sourde à l'appel subtil des énergies musicales de son âme.

En suivant un régime alimentaire en harmonie avec les lois de l'univers, et qui respecte l'amour de la vie, nous nous ouvrons à de plus hautes perceptions sensorielles, à de plus hautes expériences. Nous pénétrons dans le monde infini de la vertu. Nos yeux ne voient plus les mêmes couleurs ; nos oreilles détectent les sons les plus subtils de la nature. Nous entendons des mélodies dont on ne soupçonnait même pas l'existence. Le jeu du vent dans les nuages, le souffle de la brise dans les feuilles des arbres, le rythme féerique des fontaines deviennent alors la plus belle des symphonies. Les portes de la contemplation et de la méditation s'entrouvent, et nous découvrons l'incroyable musique intérieure.

Une alimentation non carnée facilite l'ouverture de la « troisième oreille », organe de la clairaudience. Cet organe subtil vibre à une vitesse beaucoup plus grande que l'oreille physique. Une fois développée, la troisième oreille permet d'entrer dans l'univers de l'écoute profonde, l'écoute de soi, où l'on perçoit la plus suave des musiques : la musique de l'âme.

Une horrible discordance

La musique intérieure engendre une véritable sensation de plénitude et est à la base de la guérison de l'être physique et spirituel. Tant que l'homme continuera à être un destructeur impitoyable des êtres animés des plans inférieurs, il ne connaîtra ni la santé, ni la paix et ne pourra percevoir les vibrations subtiles de la musique de son âme. Le Dr Paul Carton, médecin, insiste sur ce point :

« Tant que les hommes massacreront les bêtes, ils s'entretueront. Celui qui sème le meurtre et la douleur ne peut en effet prétendre récolter l'amour et la joie. L'habitude de la tuerie et par là même de la nourriture carnée sont incompatibles avec les espoirs de bonheur universel et de sagesse intégrale ».

Comment l'être humain pourrait-il entendre le chant de son âme alors que son régime alimentaire basé sur la viande, en le rapprochant des espèces inférieures, immerse d'autant plus son esprit pendant le sommeil dans les fluides grossiers et inférieurs ? Pour être à l'écoute de la musique des sphères célestes, vibrations harmonieuses qui constituent une véritable panacée pour tous les maux dont souffre l'humanité dans le présent, il est utile de se soumettre à certaines règles d'alimentation ; choisir la nourriture qui rend l'âme la plus pure nous facilite la tâche. Le végétarisme est une alternative efficace pour accéder à cette purification sur les plans spirituel, animique et physique ; purification que devaient pratiquer, dans l'Antiquité, les disciples d'Hermès.

Dans *La médecine hermétique des plantes,* Jean Mavéric écrit :

« La nourriture animale est la cause de toutes les corruptions organiques. Son usage est à l'origine de la laideur et de la difformité des races. La cruauté, la barbarie, le crime sont issus du carnivorisme... le vrai, le beau, le bien naissent du végétarisme ».

Dans certaines régions du globe, il faut chasser pour survivre. C'est entendu ; lorsque la nécessité l'ordonne, la viande ne doit pas être rejetée. Mais à l'heure actuelle, les animaux sont assasinés industriellement dans un climat d'épouvante innommable. Il en résulte que leurs cadavres sont chargés de peur, d'effroi, d'agressivité, de colère et de révolte. Nos contemporains n'absorbent pas uniquement de la viande. Ils se nourissent sans s'en douter de tous ces sentiments nocifs avec tout ce que cela implique sur la santé de leurs corps astral et physique !

De nombreux savants et penseurs ont réalisés le danger imminent que représente la consommation industrielle de chair animale pour l'évolution de l'humanité. Albert Einstein, ce physicien de génie, avait l'habitude de défendre le végétarisme. Dans ses écrits sur le développement de la personne, il écrit :

> « Le végétarisme, par son action purement physique sur la nature humaine, influerait de façon très bénéfique sur la destinée de l'humanité ».

Un de nos maîtres en philosophie, Henry David Thoreau, est du même avis :

> « Je suis convaincu, dit-il, que la destinée de la race humaine l'appelle, dans son évolution graduelle, à cesser de se nourrir de chair animale, de la même façon que les tribus sauvages ont cessé de s'entredévorer au contact d'êtres plus civilisés ».

L'horrible discordance des abattoirs engendre une série ininintérompue de fausses notes dans la grande musique évolutive des êtres humains. Les archarnements, les convoitises de la bête sont transmis aux hommes par la nourriture carnée. Un être végétarien profite de son côté de la fraîcheur et de la stabilité des plantes.

Pour terminer cette étude sur le rapport existant entre la qualité auditive, l'évolution et l'alimentation, je cite de nouveau le Dr Paul Carton qui a longuement étudié les théories de Pythagore sur la musique et sur la vie en général.

> « Le régime pythagoricien est un facteur puissant de haute évolution humaine, parce qu'il assure le rendement le plus parfait et le plus harmonieux des forces spirituelles, vitales et physiques. Sur l'esprit d'abord, il agit en le purifiant, en lui épargnant des incitations à la brutalité et à la sensualité. Il permet un meilleur développement intellectuel, parce qu'il facilite à coup sûr le jeu des opérations cérébrales. Tous les individus qui abandonnent l'usage des viandes sont surpris de constater combien leur esprit devient plus lucide, leur clairvoyance plus grande et leur but plus élevé. La douceur, l'optimisme, le sang-froid et la joie de vivre se font jour progressivement. L'individu se sent transporté dans un monde supérieur, parce qu'il a libéré son cerveau d'influences malsaines, fortifié son sens moral, élargi l'horizon de ses pensées, facilité l'éducation de sa volonté et accru sa valeur spirituelle ».

La puissance purificatrice de l'amour

L'alimentation vertueuse peut donc — nous l'avons vu — faciliter une claire audition. Le texte védique de la *Bhagavad-Gita*, quant à lui, va même plus loin en stipulant qu'une alimentation spirituelle a le pouvoir de purifier les organes sensoriels, de produire des tissus cérébraux plus fins et de clarifier les pensées. Le verset 26 du neuvième chapitre dépasse le simple végétarisme et proclame la puissance purificatrice de l'amour :

> « Que l'on M'offre avec amour et dévotion une feuille, une fleur, un fruit, de l'eau, et cette offrande, Je l'accepterai ».

Ici, le chantre mystique de la *Gita*, l'aspect dévotionnel ultime du Dieu-source, révèle lui-même la nature toute simple d'une nourriture sanctifiée. Légumes, céréales, fruits, lait et eau composent une alimentation appropriée à l'être humain et le fait de les « charger » de forme-pensées élevées permet de progresser vers le but de l'existence, pour finalement entendre cette musique intérieure qui nous affranchira de l'engluement matériel. En dehors de ce principe universel, chaque bouchée a tendance à nous enfoncer plus profondément dans les intrications de la nature physique, et les grandes symphonies des demeures spirituelles restent pour nous inaccessibles.

D'après le *Véda,* le fait de sanctifier la nourriture par la pensée ouvre les portes du son intérieur. Par-dessus tout, l'offrande ésotérique doit être faite dans un sentiment d'amour. L'énergie infinie qui pénètre toute chose n'a en effet nul besoin de nourriture !... Le facteur dominant dans la préparation, d'un tel acte magique, l'ingrédient principal, est donc la soif de l'amour absolu. Le chemin solaire est une route que l'on suit au-dedans de soi, dans le secret de l'âme. Le corps est un temple. Respectons-le et il résonnera avec l'absolu. Il chantera à l'unisson avec la beauté de l'infini.

Musique et digestion

Dans son livre *The doctor prescribes music,* le professeur Edward Podolsky, physicien, considère la valeur de l'audition musicale pendant les repas. Selon lui, une belle musique jouée pendant les repas facilite grandement la digestion. Il mentionne dans son ouvrage une découverte scientifique selon laquelle le nerf principal du tympan (oreille moyenne) se termine au centre de la langue et se trouve relié au cerveau, réagissant à la fois aux impulsions du goût et du son. Commentant ce rapport scientifique, Hal A. Lingerman dans *The healing Energies of Music,* note qu'il n'est désormais plus possible d'ignorer l'étroite corrélation qui existe entre une nourriture saine et une musique appropriée. Ce n'est pas par hasard que, dans les anciennes cultures, d'experts musiciens étaient invités à jouer de douces et agréables mélodies durant les festins et les repas.

Rappelons que lorsque nous ressentons des émotions désagréables, le pylore, cette structure musculaire occupant la base de l'estomac se ferme. Le contenu de l'estomac ne peut plus être dirigé vers l'intestin. Il s'ensuit une sensation de flottement, de lourdeur, et les acides de la digestion cessent de faire leur travail. Le résultat est l'apparition de la somnolence et de l'irritabilité.

Le professeur Podolsky écrit à ce propos :

> « La musique douce est le meilleur antidote pour contrecarrer les désagréments d'une digestion insuffisante. Elle stimule l'activité gastro-intestinale. Pendant le repas, la nourriture passe ainsi de l'estomac au duodenum à travers un pylore grand ouvert ».

Durant les repas, la musique doit être simple, joyeuse, sans grand contraste ni complication intellectuelle ou émotionelle. La flûte et la harpe sont particulièrement recommandées par Hal A. Lingerman.

Personnellement, j'ai observé que la musique dite de « L'école de Versailles », qui comprend les oeuvres de Lully, de Couperin, et de Delalande (Symphonies pour les soupers du Roy) suscite un climat de paix, de joie et d'opulence qui est tout à fait adéquat pour accompagner l'acte sacré de se nourrir.

Le *Véda* déclare : *Sevon mukhe hi jihvàdau* ; lorsqu'on utilise la langue au service de l'accélération de son propre taux vibratoire, les autres sens, ainsi que le mental, peuvent être sublimés. De par la nature de l'alimentation et de par l'attitude avec laquelle nous nous nourrissons, nous pouvons ouvrir ou fermer les portes cristallines de la musique de l'âme.

Protéger le nerf auditif

L'oreille se compose de trois parties : l'oreille externe (pavillon et conduit auditif) collecte les sons de l'environnement, lesquels se propagent ensuite dans l'oreille moyenne par cette membrane qu'est le tympan et les trois osselets articulés entre eux. Les vibrations parviennent alors dans l'oreille interne, appelée cochlée ou limaçon, qui envoie un message au cerveau par l'intermédiaire du nerf auditif. Tels sont les constituents de cette formidable machinerie acoustique. La détérioration de l'une des parties de ce système provoque une perte d'audition. La sensation tenace d'être sourd, qu'accompagnent les sifflements d'oreilles ressentis à la sortie d'un concert ou d'une discothèque, sont autant de signes de souffrances cellulaires du système auditif.

Si nous voulons percevoir les énergies subtiles véhiculées par le son, la parole et la musique, et si nous voulons le faire longtemps et profondément, afin d'avoir le privilège de pénétrer dans la sphère de l'écoute profonde, il convient de protéger constamment son oreille. Il existe des verres fumés pour protéger les yeux d'une lumière trop violente. Il n'existe hélas rien de tel pour les oreilles. C'est à nous de développer suffisamment de vigilance pour s'éloigner des bruits trop violents. En dépassant fréquemment les 90 dB, il se produit des lésions cellulaires irréversibles se traduisant sur les plans anatomiques par des micro-hémorragies de la cochlée et, sur le plan symptômatologique, par une perte d'audition définitive. Le docteur Illouz va plus loin :

« À partir de 120 dB et plus (un concert normal de rock), le souffle est tel qu'il agit comme une déflagration. Il n'est pas rare que le tympan se déchire comme une peau de tambour qui ne résiste pas à une violente percussion. S'ensuit sur-le-champ une surdité totale qu'accompagnent des acouphènes, c'est-à-dire des sifflements et bourdonnements constants qui persisteront plusieurs semaines avant de s'atténuer et de finir par disparaître, parfois incomplètement. L'oreille interne recèle 28,000 cils vibratiles, et pas un de plus. Ces cellules nobles, faut-il le préciser, sont des ordinateurs miniatures hautement sophistiqués. Chacune a une spécificité propre, triant les informations, analysant les sons, décortiquant les fréquences, avant d'envoyer par l'intermédiaire du nerf auditif un programme électro-acoustique d'une grande fiabilité, facilement décodé par le cerveau. Or, lorsque l'écoute est intense, les cils vibratiles sont ballottés dans tous les sens et envoient un message qui perd de son relief sonore. On aura donc tendance à amplifier le son, pensant ainsi mieux percevoir. Mais plus le son est puissant et aigu, plus il risque d'endommager ces cils, qui n'ont malheureusement pas la particularité de se régénérer. Évidemment, moins les cils sont nombreux, moins l'oreille est fidèle. Un vrai cercle vicieux ».

Mais n'accusons pas la musique de tous les maux. Ses effets nocifs se surajoutent au vacarme de la vie quotidienne. Il s'agit toujours de protéger notre nerf auditif si nous désirons jouir de concentration, d'équilibre, de vigilance et d'attention. De plus, les lésions de l'oreille interne, une fois constatées, sont définitives et il n'y a aucun traitement. Les zones nécrosées de la cochlée ne sont plus vascularisées : c'est la mort cellulaire. La prothèse auditive ne concerne que l'oreille moyenne (lésions du tympan et/ou des osselets), et en tant qu'amplificateur, ne fait qu'accroître les dégats. Donc, méfiance.

Jean-Marie Leduc — dans un article d'information sur les chanteurs sourds paru dans la revue *Paroles et Musique* en février 1989 — insiste sur le fait que certains musiciens ou chanteurs de hard rock particulièrement exposés vont jusqu'à se faire couler de la cire dans les oreilles avant d'entrer en scène ! Mais dit-il,

« si les oreilles peuvent être exemptées, rien n'arrête le son qui explose dans la poitrine ou dans le ventre. Et comme l'ont démontré des statistiques récentes en provenance de Grande-Bretagne, la cause de mortalité numéro deux des rocks stars internationales (après les accidents de transport, mais avant la drogue) reste la crise cardiaque ».

Quand le bruit devient trop fort, il convient de penser : « Attention oreilles fragiles ». L'oreille est l'organe d'équilibre. Au-delà de 90 dB, on a des vertiges, des troubles de la mémoire ; on peut même devenir dépressif.

Il faut que nous sachions à quoi nous nous exposons

En réalité, il faudrait limiter le volume sonore partout. Après deux heures d'utilisation d'un baladeur (90 à 100 dB), les médecins américains préconisent une heure trente à deux heures de silence. Durant un tel bain sonore total, on a relevé des pertes de vigilance, des pertes d'équilibre ou des nausées. Il semble en outre que la faculté d'appréciation de paramètres physiques, comme l'évaluation des distances ou du relief, puisse se trouver altérée.

Que dire alors des minuscules oreilles du foetus. Des chercheurs ont été surpris de découvrir à quel point les bruits extérieurs peuvent parvenir jusqu'à lui. Ayant placé un micro intra-utérin près de la tête d'un enfant, les médecins ont pu entendre clairement toute une variété de bruits. Dans le même domaine en Irlande, un psychologue a remarqué que les nouveaux-nés semblaient reconnaître le thème musical d'une émission télévisée que leur mère avait regardée regulièrement au cours de sa grossesse.

Selon la revue *Woman's World,* ces découvertes pourraient déboucher sur de nouvelles recherches visant à préciser l'effet de ces sons sur les oreilles du fœtus. Conrad Lorentz, entre autres, a constaté que dès avant la naissance les sons sont captés et interprétés par les êtres vivants. Ses expériences avec les oiseaux l'on conduit à parler régulièrement à des œufs de canard. Après l'éclosion de ceux-ci, il a remarqué que les cannetons venaient vers lui dès qu'il parlait, comme s'ils le connaissaient déjà — une expérience confirmée avec des poussins par d'autres scientifiques, et même sur des fœtus humains habitués pendant la gestation à la voix de leur père.

Combien d'inconnues subsistent encore dans notre manière de subir et de faire subir le bruit ? Les chercheurs du monde entier devraient unir leurs efforts et se demander ce que notre civilisation du bruit peut provoquer comme traumatisme sur les enfants, avant même qu'ils ne voient le jour.

Un message vieux de 5 000 ans

On trouve dans l'authentique commentaire du *Védanta Sutra* (*védanta* : conclusion ; *sutra* : fil conducteur) — le *Srimad Bhagavatam* (ou *Bhagavat-Purana*), mis par écrit par Srila Vyasadeva il y a quelque 5 000 ans — plusieurs histoires qui montrent comment le fœtus est capable d'entendre les sons extérieurs. Le fils même de Vyasadeva — Srila Sukadeva Goswami — fut instruit dans la science du bhakti-yoga par son père alors qu'il était encore en gestation dans le ventre de sa mère.

Selon le *Brahma-vaivarta Purana,* Sri Sukadeva Goswami était une âme libérée des diverses identifications matérielles alors qu'il était encore à l'âge gestationnel. Son père Vyasadeva, pressentant que son fils ne demeurerait pas en sa compagnie après sa naissance, fit en sorte que l'enfant, bien qu'encore dans le ventre de sa mère, puisse entendre le message qu'il avait à transmettre et être ainsi instruit des principes de la vie intérieure.

Dans cette immense fresque historique qu'est le *Bhagavatam,* un autre récit montre également jusqu'à quel point le fœtus peut percevoir les paroles prononcées près de la mère qui le porte : celui de Prahlad. L'enfant Prahlad fut conçu par un père au caractère ténébreux. Alors que sa mère résidait au monastère du sage-musicien Narada Muni, celui-ci lui parla longuement de la philosophie dévotionnelle. Selon le texte, Prahlad put non seulement entendre les propos du grand musicien, mais aussi les assimiler. Quelques années plus tard, il fut en mesure de répéter le message ainsi reçu à tous les élèves de sa classe, ce qui mit son père dans une terrible colère.

Ces deux références à un texte datant de plusieurs milliers d'années prouvent qu'on a de tout temps eu connaissance de l'action du chant et de la parole sur l'être vivant et sur le fœtus en particulier. Les versets sanskrits, notons-le, sont des textes poétiques d'une grande beauté et possèdent une rythmique et une métrique élaborées. La plupart du temps, ils sont encore chantés. Lorsqu'on a l'opportunité de lire ou d'entendre ces versets, on comprend aisément les vibrations de joie et de paix qu'ont pu ressentir ces enfants bien qu'encore à l'état embryonnaire.

L'embryon-fœtus écoute et... comprend

Pour les milieux scientifiques, il devient de plus en plus évident que les énergies sonores agissent sur le foetus. Les docteurs L. Bence et M. Méreaux, qui défendent avec un grand talent l'évidence de l'action de la musique sur les êtres vivants, sont clairs à ce sujet. Ils écrivent dans leur *Guide pratique de Musicothérapie* :

« Pendant la gestation, le fœtus perçoit de nombreuses vibrations : pulsations cardiaques, respirations de la mère, mouvements des parois abdominales, bruits intestinaux, etc... Dès le sixième mois de la vie embryonnaire, l'ouïe fonctionne et le fœtus entend les sons, particulièrement la voix de sa mère. Il entend également la musique, comme le prouvent de nombreuses expériences. Il mémorise ce qu'il entend et se crée ainsi une « enveloppe sonore prénatale », selon l'expression d'Édith Lecours. Les initiés parlent d'engrammes mnésiques de l'être en gestation. Cette mémoire est contemporaine de la vie dans un milieu nourricier et d'une sensation d'apesanteur relaxante. C'est ce qui explique que la diffusion d'un enregistrement de battements du coeur calme les pleurs du nouveau-né. On utilise aujourd'hui cette technique dans certaines pouponnières ».

Plus loin, Bence et Méreaux écrivent :

« Par des expériences indiscutables, le professeur Tomatis a prouvé que, dès leur naissance, les bébes reconnaissent spécifiquement la voix de leur mère. Cette découverte lui a permis de mettre au point « *l'oreille électronique* », qu'il emploie dans le traitement des enfants psychotiques en leur faisant retrouver artificiellement le confort maternel sécurisant, par l'audition de la voix de la mère assourdie par des filtres comme elle l'était dans l'utérus. Le bébé a deux besoins essentiels : le lait et la voix maternels. Plus tard, la musique prendra le relais et sera l'évocation de la mère ».

La vie est l'écoute

Le professeur Tomatis, cet expert en oto-rhino-laryngologie de la Faculté de Médecine de Paris, va même plus loin. Après vingt-cinq années de recherche et d'expérimentation, il en est arrivé, par de rigoureuses observations scientifiques, à la conclusion **que l'écoute précède toute l'organisation cellulaire comme si le processus entier de création dépendait d'elle.** Cette idée — révolutionnaire pour la science moderne — ne vient en réalité que confirmer les textes védiques, antérieurs de plusieurs milliers d'années. Tomatis a prouvé avec quelle hâte l'embryon-foetus s'apprête à confectionner l'oreille. Pourquoi ? Tout simplement parce que la vie est l'écoute. Pour lui,

« communiquer n'est pas seulement utiliser un certain langage à l'adresse de son prochain, mais d'abord lui offrir l'ouverture de son cœur ».

Ses expériences ont démontré à quel point l'acte d'écouter est ontogénétiquement ancré au plus profond de l'être humain. La mère doit être consciente de ce fait pour aider l'âme qu'elle porte à développer son désir d'écouter, c'est-à-dire de vivre, d'être libre et d'aimer. Car l'écoute, répétons-le, c'est offrir d'abord l'ouverture de son coeur ou selon Tomatis « entrer avec l'autre que soi en une communion faite de compréhension et d'amour ». Ainsi donc, la dimension d'écoute est seule capable d'induire par sa présence toute la communication au sens le plus large et aussi le plus noble du terme. Car, comme le dit le créateur de l'audio-psychophonologie :

« Être femelle, c'est porter un rejeton ; être femme, c'est porter un enfant ; mais être mère vraiment, c'est porter un être ».

La louange des atomes de l'existence

C'est à cet être éternel venu d'ailleurs, cet être aux mille vies, aux mille visages, aux mille parents, que la mère doit parler. C'est avec lui, et non pas avec un paquet de tissus cellulaires — comme on voudrait encore nous le faire croire — qu'elle doit dialoguer. Elle saura trouver les mots de pouvoir, les chants d'amour, les paroles affirmatives créatrices, qui feront vibrer l'âme immortelle qui a pris refuge en son sein et qu'elle appelle désormais son enfant. De l'intérieur, la mère consciente capte la louange des atomes de l'existence, et lui répond par le chant silencieux de l'amour. L'être qu'elle porte est le rythme, elle en est la mesure. Dans cet état de dévoilement, la vie se révèle à elle par la qualité auditive, et ce qu'elle perçoit alors n'est pas une interaction de substances chimiques. Comment pourrait-on aimer un mélange de produits chimiques, fût-il des plus savants ? Ce qu'elle perçoit de la vie, c'est ce « quelque chose » qui ne peut être anéanti et qui pénètre le corps tout entier, qui ne peut être détruit, qui est sans mesure, qui ne connaît ni la naissance ni la mort, et qui ne cessera jamais d'être. Non-né, immortel, originel, éternel, ce « quelque chose » n'eut jamais de commencement et jamais n'aura de fin.

Cette « chose » qui, selon les *Védas,* ne peut être fendue par aucune arme, brûlée par aucun feu, desséchée par aucun vent, noyée dans aucun océan, est présente en tant qu'embryon-fœtus et reste à l'écoute de l'amour de sa mère et des hommes, amour inconditionnel qui demeure la seule et unique musique de l'humanité ; le reste n'étant, somme toute, qu'une vaine et inconséquente cacophonie. C'est ce « quelque chose » que les Psaumes bibliques font chanter et qui s'adresse au générateur de la vie en ces termes :

« Je n'étais qu'un germe que déjà Tes yeux me voyaient, et dans Ton livre ils étaient tous inscrits les jours que Tu me préparais avant même qu'eût lieu le premier d'entre eux ». (Psaumes 139)

Le dialogue d'âme à âme

L'homme de science, avec ses preuves en main, arrive toujours un peu tard. Le temps qu'il obtienne les résultats de laboratoire, le processus vital est déjà avancé. La vie divine n'attend pas, bien heureusement, d'avoir été prouvée en laboratoire pour se manifester dans le coeur des hommes qui la recherchent. Les mères savent depuis l'aube des temps que le fœtus perçoit. C'est désormais un fait scientifique. Excellent! mais combien dérisoires s'avèrent ces résultats face à la vie. Comme le professeur Tomatis le signale:

> « Ce que chaque mère est capable de nous apprendre — à savoir que son enfant bouge dans son ventre lorsqu'une musique ou lorsqu'un son ou une voix se manifeste — constitue aujourd'hui une véritable révélation dans certains de nos milieux scientifiques ».

Maintenant, on nous demande de faire exploser cet ancien paradigme et de concevoir que le foetus non seulement entend, mais écoute aussi. Il écoute, il comprend, et il assimile. Cette évidence, démontrée par la science védique comme par la science moderne, doit certes encore évoluer dans certains esprits. Il faudra savoir attendre. Mais la venue d'un cycle nouveau dans les consciences nous apporte dès aujourd'hui le sens intime de l'écoute. Et cette conscience est sur le point de bouleverser de fond en comble toutes nos vieilles structures intellectuelles. En développant cette conscience, on adhère à la vie; on comprend que dans chaque son qui nous atteint, il y a un message de l'être essentiel. Pour cette audition profonde, il n'est pas besoin d'oreille extérieure. C'est la perception par le cœur des discours du monde invisible, le dialogue d'âme à âme. Cette sublime communication est révélée dans la tradition soufi par le maître Qusharî.

Dans son opuscule sur le *sama* (l'audition ésotérique), il écrit:

> « L'audition spirituelle est l'appréhension des choses cachées au moyen de l'écoute des cœurs par la vertu du discernement des réalités qui sont l'objet de la quête et qui comprennent les signes divins dans toute créature ».

Les nouveaux enfants

En conclusion, que doit faire la mère pour communiquer avec l'être dont le corps — cet essentiel outil d'existence — s'épanouit en elle et par elle ? Et que doit faire l'humain pour dialoguer avec ses frères et avec le Principe Unificateur qui se tient au centre de son être ? Il faut savoir que les mots du langage habituel sont absolument dénués de sens pour l'âme, qui perçoit tout au-delà du langage. C'est l'énergie intentionnelle, la chaleur affective sous-tendue par une voix agréablement douce, aimante, compréhensive que l'âme sait extraire. Comme le cygne de la légende qui sait extraire le lait de l'eau, l'être vivant sait extraire l'amour du son. Au-delà de l'embryon-fœtus et au-delà du dialogue des hommes, c'est le Centre Sublime transcendant toutes sciences, qui sait entendre la musique de nos âmes, malgré le brouhaha sans fin de nos vaines pensées et la déconcertante frivolité de nos paroles. Avant le commencement était l'écoute, dit Tomatis, qui ajoute :

> « La fonction sur laquelle se fonde toute la dynamique humaine est l'écoute ».

Or le but de cette contemplation auditive consiste à obéir à la vie génétiquement manifestée. Savoir obéir aux lois de la vie nous donne l'espoir d'échapper un jour aux lois relatives des hommes, lois non-absolues qui nous conduisent aveuglément de mal en pis vers un futur risqué, dangereux et incertain lorsqu'elles sont séparées des lois de l'univers. L'écoute de la vie nous donnera la perception des principes universels : la compassion, la pureté, la véracité, la sobriété, ce qui mènera la nouvelle Terre vers l'âge de la maîtrise. Car la maîtrise de l'écoute profonde sera le plus beau fruit de l'évolution humaine. Elle procurera la pure ambroisie des véritables richesses, celles qui confèrent à l'humain l'état d'indépendance divine, l'autonomie et l'autosatisfaction parfaite. Cette absence de besoins sera la source inépuisable de son nouveau bonheur.

Les nouveaux parents conscients de l'importance capitale des bruits, des sons, des chants et des paroles sur le développement de l'enfant à l'âge gestationnel, donneront naissance à une génération nouvelle, beaucoup plus évoluée que celle qui a créé le douloureux monde industriel. Nourris dès les premiers instants de la conception et durant toute la grossesse, de vibrations sonores emplies d'amour et de beauté, ces nouveaux enfants deviendront les architectes d'un nouvel âge d'or sur la Terre.

CHAPITRE DEUX

LES POUVOIRS
DU CHANT ET DE LA PAROLE

« Supposons qu'une personne ignore complètement ce que c'est qu'un revolver. Je lui en place un entre les mains, en lui disant : prenez garde, ne pressez pas sur le morceau de fer que voilà (je montre la détente), autrement il se produirait une explosion qui pourrait être fatale à vous-même ou à l'un de vos voisins. Que la personne me croie ou ne me croie pas, peu importe : si elle presse sur la détente, le coup part. Il en est de même pour l'autosuggestion... Il en est de même pour la formule parlée, que vous arrivez à faire pénétrer d'une façon mécanique dans votre inconscient, par la répétition. »

Émile Coué
Œuvres complètes

« Le jour où le science commencera à s'intéresser aux phénomènes non-physiques, elle fera plus de progrès en une décennie que dans tous les siècles de son existence. »

Nikola Tesla, physicien

Au commencement était le chant

In principum erat verbum : on peut lire cette formule sur la première ligne du premier paragraphe de l'Évangile selon Saint-Jean. Différents exégètes en ont donné différentes versions, mais d'une manière générale, la formule se traduit par : « Au commencement était le Verbe » ou « Au commencement était le mot, ou encore la parole ». En fait, certains traducteurs sont d'avis que *verbum* pourrait vouloir dire « le son ou le chant ». Quoi qu'il en soit, le son, le chant, le mot, le verbe ou la parole participent de la même énergie. Si au commencement était le verbe, ou le son, et que ce son était le principe Divin — comme l'affirme l'Évangile — son énergie inhérente doit être toute-puissante car non-différente de l'énergie créatrice originelle. Dans ce sens, les Écritures bibliques se font l'écho des Écritures védiques, puisque ces dernières affirment : « Au commencement était Brahman (aspect impersonnel de l'absolu), avec qui était le mot, et — le mot est Brahman — ».

Bien que les religions s'écartent souvent les unes des autres pour de puériles raisons de terminologie, il y a dans ces deux assertions une résonance parfaite entre l'hindouisme et le christianisme. Ce verbe, ce son cosmique original, on le retrouve partout, des hébreux aux tibétains, de l'islam au bouddhisme. Le son-Dieu est omniprésent dans l'histoire de l'humanité, et toujours étroitement lié à l'essence de la conscience. On le retrouve dans la Kabbale et dans toutes les grandes cultures. *Om, aum, amn, ameen, omon, omen, yahuvah* : la liste est infinie. Il est le Logos, le fameux mot perdu des traditions ésotériques.

Krishna dit dans le Mahabharata : « Je suis le son dans l'éther ».

Saint-Jean va même jusqu'à mentionner le pouvoir créateur du Verbe-Parole :

> « Le mot était au commencement avec Dieu ; toutes choses furent créées par lui, par lui tout apparut et sans lui rien n'apparut de ce qui est paru. En lui était la vie, et la vie était la lumière des hommes ; la lumière brille dans les ténèbres et les ténèbres ne l'ont pas arrêtée ».

D'après le texte original araméen, « au commencement » implique un état éternel antérieur à toute création. Le mot verbe est la simple transcription de la traduction latine « *verbum* », de l'original « *logos* », c'est-à-dire la parole. Ce terme était courant dans la philosophie grecque pour désigner l'intelligence divine, organisatrice du monde. Saint-Jean lui donne, selon l'excellente autorité linguistique d'Émile Osty, le sens de la parole substancielle et éternelle.

Les affirmations vivantes

« Et le mot, qu'on le sache, est un être vivant », a dit Victor Hugo. La parole est vivante ; c'est un don des puissances d'En-Haut. Lorsque nous disons « je suis », nous utilisons un pouvoir divin et graduellement, les qualités de nos affirmations ont tendance à se manifester en nous. Il est bien évident que la « citrouille » ne se transforme pas en « carrosse » du jour au lendemain, mais l'affirmation déclenche le processus par lequel le mot prend forme dans la matière. Après plusieurs répétitions de la phrase « je suis en pleine santé », on aura tendance à ressentir un mieux-être réel dans tout l'organisme. Faites-en l'expérience ! Cette sensation, ou émotion, déclenchera à son tour le phénomène de la santé. Il est surprenant de constater que ce processus agit aussi bien quand les affirmations sont faites de façon consciente qu'inconsciente. Par ailleurs, il est extrêmement urgent de comprendre que généralement nous utilisons cet immense pouvoir de la parole de manière tout à fait inconsciente et dans un sens négatif, ce qui est sans doute une des pires tragédies de la race humaine. Le créateur a donné aux hommes un pouvoir illimité, celui de la parole. Mais là encore ce pouvoir est neutre ; il fonctionne dans un sens comme dans l'autre. La parole peut créer notre bonheur ou notre malheur. Que l'on répète pendant une semaine, spécialement au moment de s'endormir, l'affirmation « je suis gravement malade », et il y a de grandes chances pour que notre corps s'affaiblisse, et qu'une quelconque maladie grave s'y développe. Qu'un malade affirme chaque jour « je suis parfaitement guéri » et il guérira, s'il peut concevoir en lui-même un état de santé parfaite.

Tout est vibration

On a longtemps pensé que la première faculté de l'homme était la volonté. Émile Coué, par ses recherches et les milliers de guérisons obtenues, a prouvé que ce n'est pas la volonté qui est la première faculté humaine, mais l'imagination. L'imagination a un effet direct sur l'organisme, et cette faculté fait défaut à la volonté. « Imaginez » que vous êtes relaxé et immédiatement vos muscles vont se relâcher, votre tension nerveuse va baisser. « Voulez » être relaxé et vous deviendrez de plus en plus tendu. La parole a une action directe sur l'imagination. Lorsque l'être humain prend conscience de ce pouvoir qu'il porte en lui, il redevient maître de sa vie et digne de ses origines célestes. On peut appeler ce pouvoir autosuggestion, suggestion, pouvoir du subconscient, etc., peu importe. Ce pouvoir a toujours existé et existera toujours. En tant que dépositaires de cette force, nous avons le droit et le devoir de la développer, et de l'utiliser dans un sens bénéfique.

Tout ceci s'explique de façon très simple en empruntant des données qui sont du domaine de la physique microvibratoire.

D'après la loi d'Hermès, rien n'est inerte ; tout vibre, tout est vibration. Si un objet A vibre par exemple à une fréquence de 4 000 cycles par seconde, et qu'un objet B vibre à une fréquence de 10 000 cycles par seconde, les objets A et B ne vibrent pas en sympathie. Ils ne sont pas « sympathiques » ; ils ne sont pas accordés sur la même fréquence. Pour les syntoniser, c'est-à-dire les mettre en résonance, il faut les faire vibrer à la même vitesse. De la même manière, deux personnes qui n'ont pas les mêmes désirs, ou qui ne sont pas arrivées aux mêmes conclusions intellectuelles ou intuitives, ne vibreront pas à la même fréquence et seront donc antipathiques l'une pour l'autre. L'être humain, quand il pense ou utilise son pouvoir d'imagination et d'affirmation, se met à vibrer à la fréquence de l'objet qu'il visualise. C'est un simple phénomène de résonance vibratoire.

D'invisibles ponts de résonance harmonique

Ce qui est absolument merveilleux, c'est de constater que lorsqu'on nomme un objet par la parole, on se syntonise parfaitement avec la fréquence qui lui correspond et on entre littéralement en contact avec lui. Chacun sait que le champ d'action du son est vibratoire. Par le seul fait de nommer un objet en y pensant fortement et en l'imaginant dans tous les détails, les formes, les couleurs, les qualités, les attributs qui lui sont propres, le cerveau projette une impulsion vers lui. La vibration sonore qui le désigne représente son « semblable ». Les mots et les noms sont alors des « supports », ou des « témoins » entre l'imagination créatrice et l'objet lui-même. Par exemple, quand l'imagination — par l'intermédiaire du cerveau, cet ordinateur du mental — cherche à se syntoniser sur la fréquence **harmonie**, le mot devient le relais vibratoire entre l'état d'harmonie parfaite et le cerveau. En d'autres termes ce son devient la liaison entre l'archétype et l'être vivant. Il permet d'entrer en contact direct avec les énergies illimitées de l'harmonie cosmique, qui existe de toute éternité **en**

nous-même, et d'en sentir les vibrations. La fréquence d'un mot c'est-à-dire le nombre de vibrations sonores qui le constitue, construit ainsi un pont invisible mais non moins réel, entre nous et n'importe quel grand courant d'énergie cosmique.

À ce niveau, il n'est pas nécessaire de raisonner pour comprendre ; il s'agit plutôt d'expérimenter pour sentir et réaliser. Jean-Jacques Rousseau — ce grand philosophe du siècle des lumières — avait très bien compris ce point essentiel quand il écrivait :

« Quand l'homme commence à raisonner, il cesse de sentir ».

Une arme à double tranchant

En portant une attention soutenue à cette investigation, les ondes de l'harmonie universelle peuvent être captées. C'est alors qu'elles s'imprègnent dans la structure moléculaire subtile de l'être vivant et modifient son organisme tout entier. Les paroles, les mots et les noms sont reliés aux objets archétypaux par leur son d'union. Ce son d'union n'est rien d'autre que le nom par lequel un objet, une énergie, un élément ou une personne est désigné. Les grandes vibrations archétypales sont toujours disponibles dans le cosmos, et il suffit de se syntoniser sur le courant qui leur sont propre pour en recevoir les bienfaits. Cette « alliance » se fait à l'aide de la parole et de l'imagination. Ainsi les fréquences fondamentales de santé, de beauté, de force, de savoir, de richesse, etc, existent dans l'univers et sont constamment à l'entière disposition de ceux qui désirent bénéficier de leurs vibrations. Par ailleurs, les ondes de colère, de peur, d'inquiétude, de pénurie et de cupidité sont également disponibles.

La parole est une arme à double tranchant. C'est aux humains qu'il revient de développer la discrimination, de manière à ce qu'ils aient la possibilité de choisir en toute connaissance de cause, l'énergie particulière qu'ils désirent capter. L'ancien adage

« tu tourneras sept fois ta langue avant de parler » n'était donc pas si faux..

Le goût du bonheur réel

Tenter de solutionner un problème lié à une circonstance extérieure sans utiliser la force des pensées est une vaine tentative. Seul celui qui prend pour base le spirituel peut connaître un succès solide et sûr. Faire des calculs matériels peut sans doute procurer un bénéfice immédiat ; parfois même, cet apparent profit prendra la forme d'une gigantesque manifestation. Mais, de par les lois de la vie, ce qui est acquis de l'extérieur ne dure pas. Le seul succès durable ne peut provenir que de l'activité intérieure, du royaume de l'esprit. En nous-mêmes réside la cause de toutes les images sonores qui sont projetées sur l'écran géant de notre propre existence. Une âme paisible n'expérimente pas de situations conflictuelles. L'harmonie qu'elle projette autour d'elle représente la plus efficace des protections contre toute rencontre d'éléments ou de sentiments contraires à ses idéaux, ou qui s'opposent à l'eurythmie qu'elle crée continuellement en dirigeant avec adresse le grand orchestre de ses pensées. Quand la Terre sera peuplée de telles âmes, les conflits d'intérêts, les grandes passions internationales, n'étant plus nourries par la cacophonie, la dissonance et l'inharmonie des pensées, disparaîtront complètement de la surface de la planète. Les peuples ne connaîtront plus de désaccords, car ils vibreront à l'unisson d'une note commune : le goût du bonheur réel. Ce goût supérieur, véritable musique de l'âme, sera caractéristique de l'âge du Verseau dans lequel nous venons d'entrer. Le goût du vain sacrifice (sacrifice de l'homme spirituel au profit de la machine), qui définissait l'âge précédent, s'affaiblit déjà, et d'ici quelques années aura disparu. Si ce sacrifice s'est avéré nécessaire pour construire la base de l'ère du Verseau, il ne l'est plus à présent.

Le chant incantatoire de notre discours quotidien

Aujourd'hui, il est devenu crucial et urgent de réaliser que cet âge attendu depuis des millénaires, ne peut se manifester sans la pratique de la maîtrise des pensées. Les pensées sont en quelque sorte les réflexes du subconscient, et l'unique manière de programmer activement ce dernier est d'être « conscient du conscient », c'est-à-dire d'enregistrer ou d'emmagasiner consciemment des pensées précises sur les « bandes électromagnétiques » (ou engrammes mnésiques) du subconscient. Or, pour ce faire, nous possédons un outil précieux, extraordinaire et magique, véritable don du ciel : le chant incantatoire de notre discours quotidien, c'est à dire nos paroles. Tous ceux qui accomplissent de grandes choses, tous ceux qui atteignent le véritable succès, mettent leur activité mentale et verbale au service de leurs idéaux. Comment ce travail se fait-il ? En enregistrant dans le mental une pensée précise, persévérante, soutenue et continuellement nourrie par l'engrais dynamique de la parole affirmative. On rejoint ici les techniques yogiques qui visent la maîtrise du mental, dans lesquelles les pratiques de récitation de certaines séries de sons, liées au contrôle du souffle, sont essentielles.

Depuis l'Antiquité, l'efficacité de ces méthodes n'est plus à démontrer. Nos conversations de tous les jours sont en quelque sorte un chant, et cette « parole » — principalement lorsqu'elle prend la forme d'une affirmation — agit sur le conscient. Celui-ci, à son tour, influence le subconscient qui, par réflexe programmé, produit la pensée. Cette dernière, quant à elle, est créatrice du destin.

C'est cet aspect brûlant de la réalité qui faisait dire au grand maître Saint-Germain :

« Vous laissez prendre forme physique à ce que vous pensez et à ce que vous ressentez. Vous êtes où sont vos pensées et vos paroles. Vous êtes votre conscience ; vous devenez ce sur quoi vous méditez. Telle est l'éternelle loi de la vie ».

À une extrémité se trouve la parole portée et produite par la pensée, à l'autre, le destin. Dans ce sens, on comprend comment la parole représente le pouvoir divin par excellence et l'être humain, qui en est l'héritier, un dieu potentiel.

L'absolue divinité de l'être vivant

« À l'origine était le verbe, et le verbe était Dieu », dit Saint-Jean. Je ne dis pas que l'homme est Dieu, comme on a pris l'habitude de le faire dans les milieux ésotériques à la mode. Au risque de déplaire, j'affirme que l'Âme de l'univers et l'âme distincte ne perdent jamais leur individualité spirituelle et absolue.

L'étude du plus vieux livre de la création — *La Brahma Samhita* — censé avoir été rédigé par Brahma lui-même, nous en dira plus long à ce sujet. Il est possible de se fondre dans la lumière énergétique impersonnelle Brahman, mais cette pseudo-annihilation s'avère encore une illusion. D'après cet écrit, la véritable libération gît dans la relation d'amour qui se développe à l'infini et dans tous les sens du terme, entre l'essence infinitésimale, unique et immuable, et l'Essence Infinie, où Présence Divine, ce héros de l'Amour aux mille noms et aux mille visages qui nous attend depuis toujours. De cet échange amoureux, mystique, peut naître un éventail de relations *(rasas)* innombrables. Les maîtres de la dévotion universelle ont identifié ces *rasas* en cinq grandes familles (neutre, respectueuse, amicale, parentale et conjugale). On ne peux élaborer davantage ce point sans sortir des limites du présent ouvrage. Les lecteurs qui désirent en savoir plus se référeront aux livres qui traitent de l'amour divin — en particulier — *L'imitation de Jésus-Christ* (auteur inconnu) et *Le Nectar de la Dévotion* de Rupa Goswami (traduction de Bhaktivedanta Swami, éditions B.B.T.).

Si l'être vivant est Dieu, mais « qu'il l'a oublié », comme on se plaît à le répéter, de quel Dieu parle-t-on ? Comment Dieu qui, par définition est omniscient pourrait-Il oublier quoi que ce soit ?

Le simple bon sens nous fait très vite rejeter cette inconséquence. L'être vivant n'est pas Dieu; par contre il est divin en essence, participant de l'absolu, il en possède les qualités, les attributs et les pouvoirs, mais en quantité infinitésimale. Ce qui, à l'échelle humaine, devient phénoménal quand on imagine les incommensurables pouvoirs du principe absolu.

L'homme est divin. Nous détenons dans nos âmes et sur nos lèvres les clés sonores de notre propre destinée et de celle du monde. Par nos affirmations, nous avons le pouvoir de créer l'univers que nous désirons. De la part d'un « Père Céleste », reconnaissons qu'il serait difficile d'être plus libéral... Émile Dormoy, expert en ouvrages ésotériques et homme conscient des buts importants de l'existence, écrit :

> « Le verbe est parole énergique et autoritaire. Combiné avec la pensée précise et constructive, ils peuvent, avec la foi, provoquer un renversement des tendances naturelles et guérir une maladie, éviter un accident, ce qu'on appelle improprement un « miracle » alors que ce n'est que la matérialisation de la pensée concentrée et de la parole constructive. Cela, conformément à la promesse : Ce que tu décréteras te sera établi ».

Le hasard n'existe pas

Il existe dans la parole de précieuses vibrations, de puissantes énergies qu'il est surprenant de ressentir et de mettre en action. L'affirmation porte en elle la force des vœux, des promesses, des décrets. Le hasard n'existe pas. Lorsqu'on affirme : « J'ai vraiment de la chance », tout se passe au niveau subtil de la matière comme si l'on faisait un « pacte » avec la chance elle-même. Le même genre de fusion énergétique se produit évidemment dans le sens négatif. Le résultat, hélas, est souvent beaucoup plus évident dans l'affirmation négative, car alors la parole est donnée sans y penser, machinalement, tout naturellement, sans faire le moindre effort. Et dans ces conditions, la fusion énergétique s'opère beaucoup plus facilement. Conscients de la force de nos paroles, nous devenons le capitaine de ce vaisseau corps-esprit dans lequel l'âme est véhiculée. Le penseur Fichte reconnaît :

> « La source primordiale de toutes mes pensées et de toute ma vie n'est pas un esprit étranger ; au contraire, ce que je suis est ma création entièrement personnelle. Je veux être libre signifie : c'est moi-même qui ferai de moi ce que je serai ».

Le grand maître de la psychologie dynamique, Schmidt, a établi cette réalité de façon irréfutable et l'a mise à profit dans tous les domaines de la vie. Selon lui, l'être humain par le pouvoir qu'il détient d'affirmer ce qu'il veut devenir, le devient. Par là, il est le maître incontesté et la cause originelle des circonstances et des événements qui sans cesse défilent au cours de son existence. Sa vie est entre ses mains. Voilà la raison pourquoi on l'appelle en sanskrit «*prabhu*», ou maître. Cette sublime responsabilité prouve son autonomie existentielle et **interdit toute revendication de sa part auprès d'un soi-disant responsable extérieur**, comme on le fait si souvent par pure ignorance des lois cosmiques, dans les systèmes religieux occidentaux et même quelquefois orientaux. L'âme est la cause unique de tout ce qui lui arrive. Par quel moyen ? Par l'outil simple et terrible de la parole.

Si «l'homme creuse sa tombe avec sa fourchette» comme le déclare le vieil adage, il crée aussi son destin avec sa langue. L'Évangile le dit : « C'est ce qui sort de la bouche de l'homme qui importe» et rien d'autre. Chaque mot, chaque expression qui sort de sa bouche détermine un peu plus les circonstances qui vont se cristalliser dans sa vie. Et ce qu'il y a d'absolument tragique, et à la fois merveilleusement magique, c'est la nature absolue du processus. Cela fonctionne lorsque les paroles sont prononcées inconsciemment ou sans y prêter la moindre attention, ou même par plaisanterie. Le subconscient, comme un ordinateur, enregistre la donnée sans avoir le moins du monde le sens de l'humour...

Dans sa très belle étude sur les lois par lesquelles le monde manifesté est régi, Schmidt montre de quelle manière le hasard n'existe pas. Il écrit :

« Quand tu dis « je suis », tes pensées sont tout oreilles car tout « je suis » est un appel à la réalisation. Toute pensée qui se trouve liée à un « je suis » manifeste une tendance croissante à se réaliser, et mobilise des forces de progrès ou de pénurie, d'insuccès ou de bonheur. Afin que le bien seul se manifeste dans ta vie, prends soin que toute phrase commençant par « je suis » soit dirigée vers des buts positifs. « Je suis malade, je suis malheureux, je suis fatigué, je suis persécuté par le destin, je suis pauvre, je suis souffrant, je suis faible, je suis dans la misère » ; voilà des ordres clairs donnés aux puissances de la vie d'avoir à créer des états correspondants ou à les développer plus profondément. Si au contraire tu prononces consciemment : « Je suis libre, je suis fort, je suis content, j'ai toujours le dessus, je suis un favori du sort, je suis riche en succès, je suis un avec les forces du bien, je suis conscient de Dieu, je suis l'allié du destin, je suis riche », alors ce sont ces affirmations-là qui se réaliseront de plus en plus.

« Je suis » cela signifie : je suis esprit né de l'esprit de la Divinité ; je suis un enfant de l'universel et la plénitude de la vie m'appartient en propre. « Je suis » tel est le nom du divin en toi. Chaque fois que tu l'exprimes consciemment, tu parles comme Dieu disant : « Que cela soit » à tout ce que tu affirmes ».

Déshypnotiser le subconscient

Les peuples qui réussiront la grande harmonie de l'âge du bonheur joueront la musique de leur âme sur la harpe de leur langage. La prise de conscience de la parole — ce chant du destin — constitue la prochaine marche dans l'évolution de l'humanité. La parole affirmative consciente est un régénérateur et un réharmonisateur à haute tension pour les corps grossier et subtil, une source inépuisable de force pour l'enveloppe physique et psychique. Elle forme le support de la santé globale. Elle stimule le feu de la digestion, le bon fonctionnement des organes. La petite phrase « je suis en parfaite santé », répétée dans la sérénité du matin et la tranquilité du soir, en sachant que ce que le nouvel homme décrète est déjà en route vers lui, peut procurer plus de bien-être que n'importe quel produit chimique. Il suffit d'essayer pour s'en convaincre.

Dans un proche futur, lorsque la puissance de guérison du son sera mieux connue, il ne sera pas étonnant de lire à la fin d'une ordonnance médicale la note suivante : vibration psycho-acoustique devant accompagner la prise des médicaments : « Je me sens parfaitement bien, je suis en excellente santé » à répéter dix fois par jour; matin, midi et soir...

Émile Coué, qui a révolutionné l'automatisme psychologique et a éclairé d'une lumière éclatante l'immense domaine de l'auto-suggestion (en prouvant que l'imagination est toujours plus forte que la volonté), a soigné, soulagé et guéri des milliers de malades jugés pour la plupart incurables par les médecins d'écoles de l'époque. Il a soigné par la simple répétition de la formule : « Tous les jours, à tous points de vue, je vais de mieux en mieux ». Émile Coué avait compris l'étroite relation existant entre les énergies vibratoires de la parole et l'activité psychologique. Pour lui, la suggestion n'agit qu'à la condition d'avoir été transformée en autosuggestion, c'est-à-dire acceptée.

Que devons-nous donc accepter ? Le verbe suggérer vient du mot latin *suggerere,* qui signifie exactement « porter dessous ». C'est précisément cette force encore mystérieuse, cachée sous le son des mots, supportée par la parole affirmative, qu'il s'avère nécessaire « d'accepter », (le verbe accepter vient du latin *acceptare* qui signifie recevoir). Ce qui est accepté (reçu) devient accessible... Dès lors l'autosuggestion, peut être utilisée efficacement à des fins thérapeutiques.

Comme l'électricité, le son est une énergie neutre ; il peut être bénéfique comme il peut être maléfique. Tout dépend de l'utilisation qu'on en fait et généralement, nous pratiquons en maîtres la mauvaise autosuggestion, sans avoir pris de leçons. Pourquoi cette suggestion négative réussit-elle si bien ? Parce que, répétons-le, nous la pratiquons inconsciemment, sans faire aucun effort. Automatiquement, certaines personnes affirment « je sais que je ne réussirai jamais » ou encore « je sais que telle ou telle catastrophe, que tel ou tel obstacle est insurmontable, inévitable ». Elles font ces affirmations sans faire aucun effort particulier. La parole, et le pouvoir qu'elle supporte, pénètrent ainsi très aisément dans le subconscient qui les accepte. Et comme celui-ci préside au fonctionnement de notre être physique aussi bien qu'à celui de notre être psychique ou moral, il fait en sorte que tout se passe selon l'ordre reçu. La répétition persévérante, mais non rigide, d'une vibration sonore contenue dans un mot-son positif peut déshypnotiser le subconscient programmé négativement et faire fonctionner son mécanisme créatif dans un sens non seulement positif, mais également pour atteindre des états de conscience supérieurs.

La mantrasthésie : à l'écoute du surconscient

Cette idée sera, dans les années à venir, à l'origine d'une nouvelle science faisant la synthèse entre d'une part les forces du son (musique, verbe, bruits subliminaux) et la puissance de l'autosuggestion, et d'autre part l'effet purificateur du chant méditatif inspiré. Cette nouvelle science pourrait être appelé « mantrasthésie » (du sanskrit *manatatra* : outil de libération, et du grec *aisthêsie* : sensation). Ce système de connaissance aura pour objet la sensibilité du subconscient humain aux éléments sonores produits par les organes de la parole (phonèmes), qui sont libérateurs du mental.

Il existe déjà une méthode d'apprentissage accéléré d'origine bulgare — la « suggestologie » — qui emploie la musique et la respiration rythmique afin d'impliquer l'hémisphère droit du cerveau. Mais toutes les méthodes d'autosuggestion sont encore pour la plupart utilisées dans des buts liés au corps et au conscient. La « mantrasthésie » sera dirigée vers les modifications de la conscience et vers un éveil de l'âme.

Pour bien saisir la portée et l'efficacité de cette démarche, il est nécessaire de définir les différents rôles du conscient, du subconscient et de l'inconscient ou surconscient. Le mot inconscient est généralement utilisé pour désigner tout ce qui se trouve au-delà du conscient ; c'est pourquoi je préfère l'appeler **surconscient**.

Le conscient essaie toujours de raisonner, d'analyser logiquement, et souvent cette qualité lui permet de malencontreusement bloquer les informations intuitives venant du plus profond de nous-mêmes. Ces perceptions intuitives profondes proviennent en fait du surconscient par le relais du subconscient.

Évitons de se laisser impressionner par des mots aux consonnances intellectuelles dont les auteurs d'ouvrages scientifiques sont très friands. Ces concepts sont en réalité d'une grande simplicité. Pour saisir l'étroit rapport entre ces trois éléments, il suffit d'imaginer que le **subconscient** est en quelque sorte un facteur dont le travail consiste à transmettre des messages de la poste centrale (le surconscient) jusqu'à la boîte aux lettres (le conscient).

Le **subconscient**, en tant que relais intermédiaire, crée un pont entre le **surconscient** et le **conscient**. Il est une demi-conscience intuitive. Par l'utilisation appropriée des sons, la pratique de la mantrasthésie provoque des états de relaxation tels que le **subconscient** n'a d'autre choix que de laisser passer les informations du **surconscient**. Ces « révélations » se glissent alors jusqu'au **conscient**! En effet, dans certains états de relaxation, ou de méditation, l'égo inférieur se trouve dans une condition de passivité. C'est alors que s'ouvrent les portes du surconscient intérieur. Or, dans le surconscient s'accumulent toutes les perceptions sonores, les mots, les noms, les affirmations, les remarques, etc... Ces « données » sont recueillies et engrammées sans que nous en ayons vraiment conscience. Ces sons multiples, ces conversations, ces musiques sont emmagasinées à l'intérieur du surconscient qui peut être comparé à une bande magnétique où est enregistré, entre autre chose, tout ce que l'oreille perçoit dans cette vie, plus une partie de tout ce qu'elle a perçu antérieurement. Le surconscient est en quelque sorte un accumulateur d'images, de sons, d'émotions, de souvenirs branché directement sur la manière dont on se permet de percevoir l'existence. À l'instant de la séparation de la force vitale individuelle et des éléments chimiques qui composent l'enveloppe charnelle (transition qui est faussement appelée « la mort »), cette accumulation de pensées, de désirs et de souvenirs surconscients détermine les conditions dans lesquelles se réincarnera l'être vivant. La vie pré-embryonnaire (ou vie passée) n'est donc qu'une simple préparation pour la vie présente, et la vie présente est elle-même l'atelier de toutes les prédispositions de la vie future.

Le domaine de l'extase

Vue sous cet angle, la mantrasthésie peut avoir des répercussions inimaginables sur l'évolution de l'être, en lui permettant d'avoir accès aux mémoires surconscientes qu'il porte avec lui de renaissance en renaissance. Afin de percevoir ce chant du surconscient, il est vivement recommandé de se mettre dans un état propice à la libre circulation des énergies entre surconscient et conscient. Le rôle des musiques subliminales, des musiques de relaxation, et surtout l'audition de chants méditatifs inspirés peut alors apporter une aide précieuse. En effet, la principale qualité de ces chants est précisément de supprimer les barrières qui s'élèvent entre la « poste » (le surconscient), le « facteur » (le subconscient) et la « boîte aux lettres » (le conscient).

Une fois ces obstacles disparus, les énergies qui ne demandent qu'à circuler dans un sens comme dans l'autre, trouvent alors la possibilité de s'écouler librement, donnant à l'être tout entier un équilibre, auquel il n'est jamais parvenu auparavant. De cet équilibre parfait naissent de nouvelles sensations, telles que la joie invincible, la sérénité devant l'épreuve, la confiance absolue en soi et une perception plus développée de l'Intelligence Universelle. Dans le geste mantrasthésique, l'être humain devient organe sensible. Ce qui n'est ressenti ordinairement que par l'oreille s'étend à l'ensemble de la personne et devient tout naturellement mouvement. L'expérience assimilée devient danse, chant, rire, larme joyeuse et éventuellement absorption globale dans le domaine de l'extase. Cet état extatique est lui-même provoquée par la perception de l'inaltérabilité de l'âme et par la prise de conscience de l'immortelle relation d'amour qui unit cette âme à l'Essence Originelle.

Une symphonie de symboles

Pour le conscient, le son du mot, c'est-à-dire la parole, est un symbole. De quel symbole s'agit-il ? De l'idée qu'il exprime par un certain son. Le nom d'un objet porte en lui tous les éléments symboliques qui sont à l'origine de l'existence de l'objet qu'il représente. C'est pourquoi les sages de toutes les époques et de toutes les traditions arrivent à la même conclusion depuis des millénaires : **le monde est musique ; l'univers et toute la création sont vibration sonore.** Lorsque toutes les cellules du cosmos, toutes les planètes, toutes les civilisations à travers la galaxie vibreront en harmonie, sans désirs égoïstes ou anarchiques, mais en suivant les directives du Grand Chef d'Orchestre universel en recherchant la beauté de l'ensemble — et non pas uniquement le plaisir d'une seule partie infime au détriment des autres — l'immense symphonie cosmique se fera entendre dans tous les plans d'existence, et les êtres vivants appartenant à tous les règnes retrouveront le rythme éternel de l'amour, la céleste mélodie de la musique de l'âme. Tel est le but infini de l'évolution.

L'âme incarne la réalité de la manifestation qui apparaît aux yeux du corps physique sous telle ou telle forme. L'âme est l'idée enfermée dans la forme du symbole ; elle est la substance, et les formes éphémères sous lesquelles elle se manifeste de par la nature de ses désirs ne constituent que les différentes ombres de cette substance. Ce n'est jamais la mélodie qui suit l'harmonie, mais l'inverse. De la même manière, ce n'est pas la substance qui suit la forme, mais l'inverse. Comme tout dans la création a tendance à suivre ce modèle, la manifestation de l'idée est portée à suivre automatiquement son expression symbolisée dans la formule sonore. Voilà pourquoi un état de paix se manifeste « autour » du mot-symbole paix, un état de santé se cristallise « autour » du mot santé, un climat violent s'installe dans un lieu où des mots symbolisant la violence sont fréquemment prononcés. Le succès suit le mot succès ; la richesse apparaît là où la phrase « je suis riche » est souvent répétée, etc.

Dans la tradition ésotérique, la divinité elle-même se manifeste et apparaît sous la forme particulière invoquée par les énergies musicales contenues dans ses multiples Noms. Mille Noms différents donneront éventuellement mille apparitions différentes, bien que ce soit toujours la même substance, personnelle ou impersonnelle selon le cas, qui se manifeste ainsi. Si on tient compte des effets physiologiques propres à l'émission de telle ou telle syllabe, on réalise que grâce à la parole, **grâce à l'affirmation chantée, les mots sont pris en charge par l'individu qui les prononce.** Il les fait sien et entre en union vibratoire avec eux, physiquement et psychiquement.

Une autre évolution

Comme l'idée est enfermée dans le symbole sonore du mot, l'âme est emprisonnée dans le corps. La parole est une idée en gestation, prête à être manifesté dans la forme, c'est-à-dire à être formulée matériellement. C'est ce qu'on appelle généralement évolution, en pensant étrangement que celle-ci se fait par mutation génétique. Rien n'est plus éloigné de la réalité !

Dans ce sens, la théorie de Charles Robert Darwin s'avère inexacte. Ronald Reagan, lorsqu'il était encore président des États-Unis, avait senti cette inexactitude évidente ; lors d'une entrevue, il déclarait : « La théorie de l'évolution est une théorie scientifique comme une autre. Les biologistes ne la considèrent plus comme aussi infaillible que par le passé. Mais si on doit l'enseigner dans les écoles, la version biblique de la Création doit aussi être enseignée dans les écoles. »

Le problème est de taille car on ne retrouve plus dans la Bible les enseignements qui pouvaient nous aider : les conciles catholiques les ont fait disparaître. En l'an 553 de notre ère, au deuxième concile de Constantinople, la soif du pouvoir immédiat poussa l'empereur byzantin Justinien à supprimer des Écritures chrétiennes tout enseignement concernant la réincarnation. N'est-ce pas là le comble de l'hypocrisie et de la malhonnêteté ? Mais l'Occident l'a accepté et l'accepte encore en majorité, aveuglément, ou rejette la Bible sans chercher à comprendre.

Ce n'est pas le corps qui évolue, mais l'âme qui l'habite par transmigration d'un corps à un autre. Un musicien peut désirer jouer sur un instrument plus perfectionné ; toutefois, c'est le musicien qui change d'instrument et non l'instrument qui se transforme ! En basant sa conception de l'évolution des espèces sur la prémisse qu'une véritable variation génétique s'opère de génération en génération, Darwin — et, dans son sillage, toute la civilisation industrielle — a rejeté l'idée type ou l'essence spécifique appelée « eïdos » par Platon. C'est cet eïdos qui se trouve, si on peut dire, contenu dans le son du mot qui le représente symboliquement. C'est l'eïdos qui évolue à travers les véhicules qu'il emprunte et que la nature matérielle veut bien lui prêter. Il y a bien évolution, mais pas dans le sens où Darwin l'entendait. D'une manière paradoxale, l'hypothèse de Darwin conçoit un plan dans la nature mais ne se demande pas qui en est le concepteur, ce qui est absurde. Dès qu'on reconnaît l'existence d'un plan, on doit aussi admettre celle de son auteur, l'architecte ou le dessinateur. Et si l'on prétend que la grande harmonie de la nature agit simplement de façon mécanique, ne devons-nous pas reconnaître qu'il doit nécessairement exister une énergie mécanique intelligente produite par un... Mécanicien qui la met en marche ? Cette énergie primordiale, les visionnaires l'appelle le Grand Esprit, Dieu, l'Âme de l'Univers et les intellectuels scientifiques, qui veulent passer pour des gens sérieux, lui donne le nom de Grande Théorie Unificatrice. Au-delà de ces deux visions, une même Réalité existe qui attend dans l'éternel silence l'homme grandi, purifié.

Derrière l'immense symphonie de la nature se trouve l'intelligence d'un divin compositeur. Entendre et interpréter la musique de l'âme revient à suivre parfaitement la direction de ce concepteur. Cette direction est précisément donnée au moyen de la parole créatrice, ce verbe qui était au commencement et par lequel tout a été créé. Les paroles de l'homme ont le pouvoir de symboliser à l'idée évolutive de la divinité. Le verbe symboliser est pris ici au sens classique, qui signifie précisément « s'accorder avec ». De cet accord parfait naîtront les créations absolues par lesquelles l'homme recouvrera la force créatrice et thérapeutique de sa voix.

Les différents aspects physiques de l'être vivant ne sont ni un produit du hasard, ni le fruit d'une hypothétique mutation génétique. Ils représentent la réponse précise de la nature matérielle aux désirs des êtres. Par son libre arbitre, l'âme choisit d'écouter telle ou telle musique, de prononcer telle ou telle parole. Elle décide ainsi elle-même des circonstances et des événements de son évolution. En s'entourant constamment de vibrations sonores élevées, elle crée le corps de lumière qu'elle pourra habiter dans son existence future. En se baignant consciemment dans une atmosphère chargée des fréquences liées à l'audition et au chant des noms-symboles illimités qui désignent la cause première, l'âme recouvre le souvenir de ses fondements **et trouve en elle-même (et non pas au sein des politiques et des bureaucraties d'une quelconque religion extérieure...)**, la force de franchir les étapes supérieures de son épanouissement cosmique.

CHAPITRE TROIS

L'ÉNERGIE UNIVERSELLE DES MANTRAS

« La musique est le langage universel. »

Richard Wagner

« Par l'emploi approprié des énergies musicales, l'être humain peut non seulement éliminer les blocages, mais aussi acquérir dans les parties organiques incorporelles, une vibration supérieure à celle qu'il avait auparavant. »

Pr. Zeberio
Les sons et l'énergie humaine

« Pour les esprits forts de nos jours, vains d'une science livresque et certains que rien ne peut exister hors de ce qu'ils savent, tout cela n'a pas le sens commun. « Et poutant, elle tourne » comme disait Galilée, pourtant les malades guérissent, et la pluie tombe, et le vent souffle dans le sens qu'on a décidé. Il y a même des « mots » incantatoires qui parviennent aux mêmes effets. »

Anne Osmont
Le rythme créateur de forces et de formes

« Il est vrai qu'en fin de compte chaque son possède des qualités mantriques. »

Lama Anagarika Govinda
Méditation Créatrice et Conscience multidimentionnelle

La plus haute prémonition

Les mantras sont des outils de libération du mental. Ce ne sont pas des « formules magiques » qui auraient pour fonction de transcender les lois du cosmos ou d'hypnotiser l'entité qui les chante ou les récite. Les mantras ont pour but d'éveiller des forces qui existent dans l'âme humaine de toute éternité. Le lama Anagarika Govinda les définit comme

> « des sons archétypaux et des symboles verbaux, qui ont leur origine dans la structure même de notre conscience. Ce ne sont donc pas les créations arbitraires d'une initiative individuelle ; ils sont nés de l'expérience humaine collective ou générale, modifiés seulement par des traditions culturelles ou religieuses ».

Un mantra est donc un symbole, c'est-à-dire selon Carl Jung, une idée qui correspond à la plus haute prémonition de l'être conscient. Cette haute prémonition correspond à la prise de conscience de notre divinité. Elle est complète lorsqu'elle englobe la conscience de l'Âme Universelle en nous et la relation qui nous unit à Elle. Cette union de dévotion et d'amour représente la quintessence du bonheur absolu. Le but ultime de la pratique des mantras est précisément de retrouver cette relation divine perdue.

L'état de grâce : un processus descendant

Il existe, bien entendu des milliers de mantras qui ont des milliers de fonctions diverses, non liées à cette recherche relationnelle. Ces mantras peuvent servir toutes sortes de buts plus ou moins liés à l'énergie matérielle. Toutefois, le but véritable de la pratique du mantra est de se relier au Divin. Le processus qui provoque la prise de conscience de cette relation n'est pas ascendant mais descendant. C'est dire que ces choses ne naissent pas d'une réflexion dans laquelle le conscient tente par un effort intellectuel d'accéder au niveau spirituel. Cette conscience, au contraire, est un état de grâce qui jaillit des profondeurs du cœur. Cet état est offert de manière immotivée par le médium d'un maître-guide. La tradition mantrique est une tradition orale, où la *shakti,* l'énergie, est passée de bouche à oreille, c'est-à-dire de maître à disciple. Recevoir un mantra d'un maître vivant authentique est une initiation en soi. Cette expérience initiatique est une nécessité pour celui qui veut s'engager sur la voie du mantra, et représente le départ de la pratique *(sadhana).* Cette initiation peut être vécue aussi bien dans l'état de rêve que dans l'état de veille.

La puissance des syllabes-semences

Le son symbolique du mantra forme un pont entre la conscience superficielle et le Moi essentiel situé au niveau de l'incorporel. Sur ce plan, les structures de langage telles que nous les connaissons disparaissent pour faire place aux émotions et aux sentiments purs, inexprimables par les concepts verbaux utilisés sur les plans physiques. C'est la raison pour laquelle la plupart des formules mantriques renferment des sons primaires sans signification précise, et qui n'expriment aucun concept ni aucune idée. Ce sont des sons-racines, ou des syllabes-semences *(bija).* Ces sons-racines déclenchent l'éveil des émotions supérieures, en touchant directement la conscience par des vibrations dont les sonorités sont antérieures à tout langage humain.

Dans la mystique tibétaine, on trouve par exemple le son *hùm* qui représente l'individualité et provoque la descente de l'état d'universalité au plus profond de l'âme humaine. Le **u** se prononce ou. Le trait au-dessus du **u** prolonge le son ; le point au-dessus du **m** indique la nature mantrique de la semence sonore et est censée retourner le son vers l'intérieur. La vibration extérieure que l'on entend est alors transférée à la fréquence intérieure inaudible, mais réelle. Il est inutile d'y penser ou de raisonner. De la même manière, lorsqu'une musique ou un chant nous émeut, nous ne pouvons pas vraiment l'expliquer. **Nous sentons simplement quelque chose de particulièrement puissant bouger et évoluer en nous.** Et nous sentons avec précision que cette énergie soulève les montagnes de notre indifférence et de notre insensibilité.

C'est exactement la même chose qui se passe avec le son-semence d'un mantra. C'est cette fréquence intérieure, inaudible à l'oreille physique, qui porte véritablement l'énergie du *bija*.

Immensité

Cette énergie toute-puissante, c'est le *shabda,* ou groupe phonique de lettres qui confère le mouvement au son. Sans la perception du *shabda,* ou son occulte enfoui dans le mantra, et que l'adepte cherche à découvrir, la force du mantra ne peut se manifester à sa pleine puissance. Le son *om* est le *bija* suprême. Comme le *hùm* est la descente de Dieu vers l'âme, le son *om* est l'ouverture de l'âme à Dieu et correspond à la montée de l'individualité vers l'universalité, vers l'infini. Le *Srimad Bhagavatam* dit à ce sujet :

> « La syllabe sacrée *om,* investie de pouvoirs insoupçonnés, éclot tel un lotus en l'âme pure. Elle représente la Vérité Absolue sous ses trois aspects : la réalité impersonnelle, l'Âme Suprême et la Personne Suprême. Toute les sonorités védiques émanent du son *om,* qui naît de l'âme ».

D'innombrables pages ont été écrites sur la signification et la teneur du son *om*; il est bon de les lire et de les assimiler. Pourtant, il est encore bien plus merveilleux d'expérimenter directement la force de *om*. Dans une position confortable, on laisse son corps se détendre grâce à de profondes respirations. Quand le calme est venu, on prononce alors le mantra sacré, sans chercher à raisonner mais simplement en essayant, d'un cœur simple, d'en sentir les fréquences exceptionnelles. Après quelques minutes de ce chant, toutes les explications métaphysiques sont oubliées et deviennent inutiles, car nous pénétrons dans le royaume insoupçonné de l'expérience mystique. Le son est là, vibrant de joie et pénétré d'amour. Le cœur se dilate sous l'effet d'une chaleur irradiante. Le mental qui, quelques minutes auparavant, tournoyait péniblement dans tous les sens, se trouve comme catapulté dans une même direction, concentré, fixé sur un point central situé dans le centre du cœur. De ce point, émane un rayon de paix illuminant le monde entier. Le corps et l'esprit se trouvent alors spontanément baignés d'un immense sentiment de gratitude. On réalise du même coup la puissance du mantra, et la stupéfiante immensité des régions transcendantales. Celui-qui-ne-rêve-pas, l'éveillé, l'homme divin, peut alors émerger de sa vieille coquille et vibrer en harmonie avec la paix silencieuse dans laquelle il lui est permis de percevoir la voix sublime de son âme. Quand cette heure vient, il sait que sa demeure est au sein de l'Omniscience; il se rappelle que la vie physique n'est qu'une représentation théâtrale. Dès lors, il ne craint plus rien.

Sortir de l'inconscience

Bien que la répétition d'une certaine architecture sonore puisse procurer mieux-être, fortune, santé et toutes sortes de choses, la pratique des mantras a pour but ultime de nous aider à redécouvrir notre identité spirituelle. C'est grâce à cette prise de conscience que la relation unique qui nous unit à la lumière vivante du Dieu-source pourra être rétablie. Cette re-découverte de la vie de l'âme se développe à partir de l'écoute *(shravana)*. L'entité qui prête l'oreille aux vibrations sonores mantriques voit rapidement son cœur débarrassé de toute impureté. L'importance de l'écoute est annoncée à maintes reprises dans toutes les Écritures révélées. Les *Védas* préconisent la pratique de l'écoute de fort belle manière dans le *Garuda Purana* :

> « L'existence conditionnée en l'univers de matière peut être comparée à l'état de l'homme qui, victime d'une morsure de serpent, gît insconscient. Ces deux formes d'inconscience peuvent chacune être dissipée par les vibrations d'un mantra ».

Il existe en effet des mantras donnés capables de rendre la vie à celui qui semble déjà mort par suite d'une morsure de serpent et qui, plongé dans une profonde inconscience, reste comme dans un état comateux. Il existe des mantras spécifiques capables d'annihiler les effets du venin. Dans l'état comateux comme dans l'état de sommeil profond, l'oreille demeure le seul organe sensoriel en activité ; celui qui semble déjà mort peut donc recevoir le son qui le sauvera. Certains chamans maîtrisent cet art de manier les mantras, et de tels exploits ne sont pas rares. Similairement, l'oubli de l'existence de l'âme a plongé la Terre dans le sommeil profond de l'indifférence et de l'insensibilité qui sont les fruits empoisonnés d'un matérialisme des plus grossier. Dans le coma de l'illusion, les échanges d'amour entre l'étincelle divine et l'Être-Feu divin ont été remplacés par un pauvre sentiment d'impersonnalité. Dans cet état, le nihilisme et l'existentialisme bloquent la descente des grandes énergies de lumière et de paix, qui sont toujours prêtes à inonder le monde. C'est la raison pour laquelle les sages perçoivent l'humanité comme une sphère transitoire plongée dans les plus profondes ténèbres de l'ignorance, de l'envie et de la haine. Illusionné par un égoïsme limitatif, l'homme semble comme mort, bien qu'il s'agite inutilement dans tous les sens en quête d'un bonheur qui lui échappe toujours.

L'écoute profonde de la parole révélée

Cette carence de bien-être peut être guérie par l'écoute profonde de ce qui a trait à la vérité absolue. C'est du moins ce que stipule le commentaire du *Vedanta Sutra* :

> « Celui qui souhaite s'affranchir de toute souffrance, doit entendre ce qui a trait à Dieu, Le louer et se rappeler son aspect personnel, Lui, l'Âme Suprême, le maître et le libérateur de toute souffrances ». [*Srimad-Bhagavatam* 2.1.5.]

Le feu de la vie intérieur est ainsi définitivement allumé et l'être vivant, que les anxiétés illusoires de l'existence limitée ont plongé dans un état d'inconscience, sort de sa léthargie chronique et s'éveille dans le monde de sa propre divinité. Vyasadeva, l'auteur des *Védas* décrit l'importance de l'écoute des Écritures révélées telle qu'elles ont été (et seront encore) données aux hommes par la bouche des innombrables maîtres de la vérité :

> « Il est essentiel, de savoir prêter une oreille attentive aux chants et aux dires des *acharyas* (entités modèles) qui, telles des rivières de nectar, coulent en flots de leurs visages pareils à la lune. L'âme qui avec ardeur se livre à une écoute suivie de ces sons spirituels se verra certes libérée de la faim et de la soif, ainsi que de la peur, de l'affliction et de toute illusion liée à la conscience matérielle réductionniste ». [*Bhagavatam* 4.29.40.]

C'est bien de cette conscience de pénurie, opposée à la conscience de la toute-puissante plénitude, que naissent la plupart des maladies qui grugent l'esprit et par suite, le corps des hommes.

La libération de la peur

La peur du manque, l'affliction sur soi-même et sur le monde, l'inquiétude fondée ou non, rampent dans les esprits et dans les cœurs et créent toutes sortes de formes-pensées négatives. Ces formes-pensées, aux contours et aux couleurs chaotiques, sont les facteurs des désordres psychologiques dont souffre l'humanité. Il a été prouvé que 80 pour cent des maladies traitées par les médecins sont de nature psychosomatique. Quand ceux qui pratiquent la médecine d'école élargiront le paradigme qui s'en tient à l'expérimentation sur l'animal et aux lois physico-chimiques, ils découvriront la science de l'autosuggestion.

L'écoute (consciente ou inconsciente) des sons matériellement contaminés dont est saturé le monde moderne, crée une autosuggestion globale de danger, de pénurie et de violence. Ainsi suggestionné, le subconscient est hypnotisé par la peur, et la vie devient un espace réduit, minimisé par une angoisse existentielle fondée sur une profonde absence de connaissance intuitive. Le courant intuitif bloqué par une inquiétude morbide, les êtres luttent pour l'existence, croyant que les circonstances et les événements qui défilent sur l'écran de leur vie proviennent du pur hasard !

La race humaine freine son évolution en se maintenant dans la petitesse et dans la crainte, bien que chaque individu qui la compose soit l'héritier de l'opulence sans limite et des pouvoirs surnaturels de l'esprit. Par bonheur, de nombreux médecins commencent à l'heure actuelle à sortir de l'impasse où les a plongés l'enseignement scolastique. Normand Cousin, professeur à la Faculté de Médecine de l'Université de Los Angeles, ose avouer à ce sujet : « Si je pouvais offrir quelque chose aux gens, ce serait de les libérer de leur peur... car la peur crée la maladie ».

Ainsi, la peur crée le désordre cellulaire et l'écoute de sons grossiers teintés d'angoisse génère une autosuggestion de peur. Par conséquent, il n'y a rien d'étonnant à ce que l'écoute profonde de sonorités spirituelles libère les énergies subtiles de l'âme et détruise graduellement tout ce qui entache le cœur des hommes.

Ces ondes sonores mantriques représentent une arme puissante et précieuse dans l'arsenal déjà impressionnant de la nouvelle médecine vibratoire qui est en fait — faut-il le rappeler — aussi ancienne que la médecine ayurvédique. Dans une entrevue réalisée par Michel Saint-Germain pour la revue *Guide Ressources,* le médecin Richard Gerber nous laisse entrevoir un être humain multidimensionnel au potentiel de guérison illimité. Il affirme :

« Nous avons tendance à considérer que le corps humain est animé par des forces électrophysiologiques (les nerfs, etc.). Mais ce système est contrôlé par un système d'énergie supérieur qui régularise les processus cellulaires et biochimiques. Et ce système d'énergie subtile est beaucoup plus proche, en fréquences, de la force vitale. Certaines modalités de la médecine vibratoire fonctionnent à ce que l'on appelle des niveaux de réalité spirituelle élevés, qui ne sont pas largement acceptés par la science orthodoxe. Certaines factions au sein de la communauté scientifique conventionnelle y croient, mais les institutions scientifiques rejettent encore ces choses et les trouvent excentriques... La médecine dans son ensemble est en train de changer parce qu'il y a des médecins bien formés qui, graduellement, s'intéressent aux approches complémentaires et accordent plus de crédibilité à ces études. Ces approches ne sont pas destinées à remplacer mais à étendre la science actuelle. »

Que l'on parle de cristaux, de vibrations sonores, d'acupuncture, de corps astral, d'essences florales, ou... de chirurgie, comprenons que toutes ces approches sont en réalité complémentaires et ne s'opposent nullement. Guérir revient à libérer son corps et son esprit des énergies négatives qui le diminuent. L'énergie des mantras, formules phoniques dont les effets vibratoires exercent une profonde influence sur nos trois principaux corps (physique, mental et spirituel) peut être utilisée avec succès en médecine vibratoire en nous immunisant contre les inquiétudes qui sont la source de la plupart des déséquilibres cellulaires.

« Guérir, ajoute Richard Gerber, c'est permettre le rétablissement d'un mouvement de créativité global : celui du corps et de l'âme, celui de l'individu et de la planète. »

La voie de l'écoute et du chant

Entendre et chanter les vibrations sonores spirituelles, en marchant sur les traces des maîtres, constitue pour tous la voie de la perfection, libre du doute et de la crainte. Cette voie s'offre non seulement aux étudiants désireux de parfaire leur recherche idéologique mais aussi à ceux qui ont déjà triomphé dans leurs efforts, qu'ils soient auteurs d'actes interessés, philosophes ou amoureux de l'Être Essentiel (Bhakti-yogis). Cette voie de l'écoute et du chant ne supporte aucune limitation d'âge, de race de sexe ou de statut social. Elle est libre, aisée et sans règle stricte concernant le lieu ou l'instant. Le plaisir d'écouter et de chanter les sons mantriques s'éveille peu à peu en soi. C'est une méthode qui n'est pas seulement réservée à ceux qui veulent mener à bien les pratiques de réalisations du soi ; elle est également recommandée aux personnes qui conçoivent de l'attachement pour la vie matérielle. Tous les maîtres de la science védique s'entendent pour affirmer que c'est là une voie certaine pour atteindre au succès parfait.

L'énigmatique répétition vivante

Celui qui n'a pas bien assimilé la force qui se dégage du phénomène de la répétition critique quelquefois la pratique des mantras. Il faut savoir que cette critique se base sur une connaissance insuffisante de la science des mantras et sur une expérimentation incomplète de la **répétition musicale active.** Le musicologue Georges Balan dit à ce sujet :

« Le message des sons est une énigme proposée à notre esprit. Celui qui sent que cette énigme recèle la clé de la délivrance spirituelle s'efforcera évidemment de la résoudre. Le seul moyen d'y parvenir est de répéter la mélodie jusqu'à ne plus faire qu'un avec elle. Il s'agit d'une répétition vivante qui se refuse à toute reprise mécanique. On y arrive en faisant résonner la musique le plus consciemment possible au-dedans de soi. Plus la mélodie sera intériorisée, c'est-à-dire chantée non tant avec les lèvres qu'avec la voix intérieure, plus elle imprégnera nos profondeurs et les fera rayonner. Pratiquée avec assiduité, cette répétition apportera lentement mais sûrement la solution de l'énigme, solution d'un tout autre ordre que celle obtenue par la voix de la raison et qui est ressentie comme un accroissement considérable de notre force psychique. Ce travail intime n'est autre chose que l'expression musicale des lois sur lesquelles repose toute méditation authentique, à savoir la confrontation avec l'énigme qui dans la tradition Zen s'appelle « koan » et la « mastication » de la formule méditative, connue surtout sous le nom sanskrit de mantram, dont l'action dans l'âme peut faire de l'homme un nouvel Œdipe vainqueur du Sphinx intérieur, qui posait d'angoissantes énigmes ».

La répétition d'une même formule sonore n'est donc pas un obstacle, mais une aide précieuse à condition, bien entendu, qu'elle ne se fasse pas de façon mécanique ou automatique. Il est absolument essentiel que le cœur soit entièrement disponible et engagé activement dans la répétition du chant. Si les lèvres seules s'impliquent, et que l'esprit s'égare, le cœur restera vide et ne trouvera en lui-même ni la force ni le désir de goûter au mantra. Ce goût — qui n'a rien à voir avec le plaisir des sens ou les voluptés de la chair, mais leur est de loin supérieur en intensité et en qualité — résulte directement de la répétition, pourvu que celle-ci soit consciente et vivante. Celui qui s'engage sincèrement sur la voie royale de la répétition des mantras doit s'attendre tôt ou tard à expérimenter cette joie, qui dépassse et transcende toutes joies. Sa vie entière peut s'en trouver transformée. Cette expérience n'est pas la propriété exclusive de la culture sanskrite.

Dans la *Philocalie*, un des ouvrages les plus complets et les plus inspirés sur la question, on trouve de nombreuses allusions à cet indicible plaisir supérieur qui naît de la prière du cœur. Dans cette *Philocalie* — dont Nicodème disait qu'elle représentait la sauvegarde de l'intelligence et le guide infaillible de la contemplation — Isaac de Ninive, extraordinaire moine du IXe siècle, parle du plaisir supérieur et mystique qui jaillit de la répétition vivante de son propre mantra-prière, la célèbre prière de Jésus ; « Seigneur Jésus-Christ, ayez pitié de moi, Fils de Dieu ».

« Celui qui parvient à la prière constante touche aux termes de toutes les vertus et a du même coup une demeure spirituelle. Qu'il dorme, qu'il veille, la prière ne se sépare pas de son âme. Tandis qu'il mange, qu'il boit, qu'il est couché, qu'il se livre au travail, qu'il est plongé dans le sommeil, le parfum de la prière s'exhale spontanément de son âme. Il ne faut pas confondre jouissance dans la prière et vision dans la prière : la seconde l'emporte sur la première. Il arrive que le chant des paroles prenne une suavité singulière dans la bouche et que l'on répète interminablement le même mot de la prière, sans qu'un sentiment de satiété vous fasse aller plus loin et passer au suivant. Parfois, la répétition des mots sacrés engendre une certaine contemplation qui fait s'évanouir la prière sur les lèvres. Celui auquel échoit pareille contemplation entre en extase. C'est ce que nous appelons vision dans la prière, et non pas une image ou une forme fabriquée par l'imagination, comme le soutiennent les sots inexpérimentés. »

Une émotion de lumière

Cette extase, ce plaisir supérieur, est le fruit mûr de la musique de l'âme. Lorsque l'action thérapeutique des sons s'additionne à l'effet des mots, on assiste à l'émergence d'une émotion surnaturelle. Cette émotion, qui transcende la simple sentimentalité, est de nature spirituelle et s'avère apte à illuminer l'être tout entier dans la mesure où elle rend possible la fusion harmonique avec la source de toute lumière. À ce moment, l'âme distincte peut percevoir l'inconcevable musique des mondes oubliés et se souvient de la relation d'Amour pur qui l'unit aux grandes familles célestes. Unifiée, elle recouvre ses immenses pouvoirs et chante à l'unisson avec toute la création. Voilà ce qui faisait dire au Père Mersenne dans son *Harmonie Universelle,* publiée en 1636 :

> « L'esprit commence à goûter la musique des bienheureux lorsqu'il oit l'unisson qui lui fait se souvenir de son origine et de la béatitude qu'il espère et qu'il attend. »

Les mystères des fréquences harmoniques

Malgré les sceptiques, qui considèrent que l'onde sonore agit au niveau psycho-physiologique comme tout dérivatif de l'attention, le musicologue Washco indique que plus les éléments mélodiques et rythmiques sont définis dans une combinaison harmonique plus les réactions physiologiques qu'elle déclenche sont précises et plus on peut être assuré de leur apparition. Il faut signaler toutefois que les mêmes énergies musicales produisent des réactions physiologiques très différentes selon l'état affectif des auditeurs.

Quel est le mécanisme à l'origine de ces réactions sur le corps et sur l'esprit ? Pour sa part, le chercheur La Monte Young émet une hypothèse intéressante tant du point de vue de la musique en général que des vibrations sonores reliées aux incantations des anciennes traditions. Cette hypothèse tend à donner une explication rationnelle au mystérieux effet des chants de mantras ou prières utilisés à toutes les époques et dans toutes les régions du globe par les peuples conscients du pouvoir des sons. Selon lui :

> « Lorsqu'une série spécifique de fréquences reliées harmoniquement est continue, elle produit ou stimule plus définitivement un état psychologique qui est rapporté par l'auditeur, étant donné qu'une telle série de fréquences déclenchera continuellement une série spécifique de neurones auditifs qui, à leur tour, exécuteront la même opération de transmission d'un modèle périodique d'impulsions à la série de points déterminés par leur correspondant dans le cortex cérébral ».

À la lumière de cette idée, on ne peut s'empêcher de penser au fameux *raga* hindou dont les gammes précises sont censées provoquer toujours les mêmes effets. Édith Lecours, qui a étudié cette hypothèse de La Monte Young dans ses très sérieuses recherches sur l'actualité et le développement de la musicothérapie, pense qu'elle pourrait aussi s'appliquer à d'autres musiques dites « primitives », où la fonction thérapeutique fonde une précision et une circonspection dans l'utilisation des sons, dans la mesure où ceux-ci sont justement prolongés et imprègnent l'individu comme il en est par exemple pour les chants tibétains.

Om mani padme hum : la compassion qui guérit

Les exégètes sont unanimes pour dire que ces syllabes produisent entre autres la compassion. Bien qu'il y ait une multidimensionnalité de la formule mantrique, il semble que ce soient les énergies de compassion qui se dégagent principalement lors de l'écoute ou du chant de cette combinaison de syllabes-semences et de mots-symboles. On a souvent traduit ce mantra par la phrase « O toi, Joyau dans le lotus » ; mais, à mon avis, les mantras ne devraient pas être adaptés au langage courant par des interprétations philosophiques. Ils sont ce qu'ils sont, et l'énergie qui en émane doit avant tout être ressentie physiquement, psychiquement, ou spirituellement, plutôt qu'analysée intellectuellement ou au moyen de la raison.

Pour illustrer ce point particulier, je ne peux m'empêcher de penser au bourdon. En effet, celui-ci, selon les mathématiques, ne pourrait pas voler, la forme de son corps n'étant pas proportionnelle à l'envergure de ses ailes. Mais le bourdon se moque des mathématiques et vole librement. Il fait appel à son instinct et non à la raison. Les mantras ressemblent au bourdon : ils ne sont pas raisonnables. Ils mettent l'intellect de côté et **fonctionnent simplement en libérant des énergies qui correspondent aux sonorités qu'ils véhiculent.** Donc, si nous voulons comprendre la formule sonore, nous n'avons pas d'autre moyen physique que la base de l'expérience et celle des associations multiples des mystérieuses forces contenues dans leurs mots-symboles. L'énergie des mantras ne peut tout simplement pas être comprise autrement. Plutôt que de se demander comment il est mathématiquement possible de voler, ne vaut-il pas mieux gagner un temps précieux, ouvrir les portes de son esprit et s'envoler sur les ailes du son, propulsé par les réacteurs de lumière mantrique vers les dimensions invisibles de l'existence ?

Cela dit, il est probable qu'à la clarté des données citées par La Monte Young des recherches soient entreprises en laboratoire dans un proche futur, et que les chercheurs découvrent, qu'effectivement, un certain mantra — qui est en l'occurence une série spécifique de fréquences reliées harmoniquement — produise bel et bien un état psychologique spécifique, cet état étant lui-même déclenché par stimulation d'une série particulière de neurones auditifs qui, à leur tour, transmettent un certain modèle d'impulsions au point correspondant dans le cortex cérébral. On comprendra mieux alors comment tel ou tel son peut engendrer tel ou tel état psychologique ou physiolgique. Ainsi, le mantra « *om mani padme hum* » provoque l'apparition du sentiment de compassion, automatiquement suivi par un mieux-être général caractérisé par la détente du corps et la paix de l'esprit.

Dans son livre intitulé *Les Mantras ou la puissance des mots sacrés*, John Blofeld écrit :

« Partout où je me rendais dans ces montagnes (Tibet), j'avais la preuve de l'efficacité du mantra *om mani padme hum* ! qui agissait comme un charme protecteur... Pour les non-initiés, le « *Mani* » est souvent employé comme un charme pour se préserver de toutes sortes de malheurs. On le récite à haute voix pour se protéger d'un danger, doucement pour réconforter quelqu'un dans l'affliction, mentalement ou à haute voix sans interruption pour renaître dans la terre pure. Innombrables sont les Tibétains qui récitent le *Mani* au seuil de la mort. Récemment, le professeur Charles Luk (en chinois Lu K'uan-Yu), ce chercheur remarquable, écrivain de surcroît, qui fait autorité en matière de bouddhisme chinois, m'a écrit pour me signaler les qualités thérapeutiques du mantra dans le cas de maladies psychiques telles que les hallucinations et autres maux du même genre. Le malade doit se livrer à une pratique quotidienne. J'ai moi-même été guéri en l'espace d'une soirée d'un mal que j'avais contracté lors d'un de mes longs voyages dans les montagnes du nord de la Chine. Étant tombé de ma mule à la suite d'un malaise, j'avais été secouru par les gens de l'auberge la plus proche. Là, je sombrai dans un profond coma. Lorsque je repris conscience, un lama mongol, au pied de mon lit, récitait à voix basse le *Om Mani Padme Hum*. Le résultat fut merveilleux ! Les douleurs et la fatigue avaient disparu. Et le matin suivant, j'étais aussi frais et dispos qu'au premier jour du voyage. Bien sûr, dans de telles circonstances, il sera facile d'objecter que l'effet bénéfique du mantra relève uniquement de la psychologie, ce que je ne conteste pas ; mais les choses ne sont pas aussi simple qu'elles le paraissent. Car l'énergie de compassion personnifiée par Avalokiteshvara est bien réelle et réside enfouie au profond niveau de la conscience. Présente en chacun de nous, bien que fortement bridée par les entraves de l'égo, elle peut être dynamisée par les syllabes du mantra, surtout si elles sont récitées dans un but altruiste. En dépit des apparences, aucune opération magique n'intervient. Le mantra — relié psychiquement à un élément identique dans la psyché de ceux pour lesquels on l'utilise — puise une force énorme dans le pouvoir accumulé au cours des siècles par des groupements sacrés, comportant des quantités incalculables de pratiquants. »

Le son pénètre l'éther omniprésent

La parole est un don de Celui par qui tout vit, le Sat (existence absolue) dont nous sommes les parcelles vivantes infinitésimales. Cette qualité divine, ce cadeau sans pareil, est l'origine de toute création humaine. Nommez un être ou un objet, et cet être existera, cet objet se manifestera au niveau des plans subtils de l'éther. Le son ne se propage pas au niveau de l'air, mais de l'éther. Voilà pourquoi le son, le mot, le nom, mis au monde par la parole mère, pénètrent toute chose car l'éther est l'élément subtil omniprésent sur le plan physique. En conséquence, si l'on continue à nommer un objet, une qualité particulière ou un être, ceux-ci se manifesteront dans la matière. Ce processus de création n'est en fait qu'une question de continuation.

Dans la doctrine du *Vajrayana* bouddhiste, le *bija-mantra* **ah** — correspondant à la lettre A, la première de notre alphabet — représente le mystère de la parole *(vak)*. Ce mystère de la parole dépasse celui qui entoure le mot ordinaire. Il est le symbole audible par lequel l'homme s'exprime et détient la force de transmettre l'œuvre de vérité. C'est le son créateur, le langage initiatique qui rallume l'étincelle de lumière spirituelle réelle au fond du cœur de l'être radieux, entité heureuse et essentiellement immortelle. La lettre A, parole mystère, porte le secret de l'énergie sonore créatrice d'images, de rêves, de visions, de pensées — en fait, tout ce qui touche l'art, la culture et la science. Ce mystère de la parole s'avère plus que divin, il est l'Intelligence Universelle Elle-même. Cette assertion se trouve corroborée par les Écritures védiques.

Krishna affirme devant Arjuna dans Son *Chant du Bienheureux*: *aksaranam akaro'smi* — «D'entre les lettres, Je suis le A». (Bhagavad-Gita 10.33). *Akara,* la première lettre de l'alphabet sanskrit, constitue le commencement de toute la littérature védique. Aucun mot ne peut être prononcé sans elle. La lettre A représente l'origine de tout son. Et le son, ou la parole, est Dieu Lui-même. *Sabdah khe paurusam nrsu* (Bhagavad-Gita 7.8.):

« Je suis l'infinitude qui soutient tout, Je suis le son dans l'éther ».

Ce verset vient confirmer l'idée fondamentale selon laquelle la lumière incréée (ou « noire » pour l'intellect humain) manifeste son omniprésence par l'intermédiaire du son pénétrant l'élément éthérique, et se trouve à l'origine de toute la Création.

Percevoir l'absolu

Il est possible de percevoir la Présence divine à travers ses innombrables énergies sonores, et ainsi réaliser Son aspect impersonnel. L'impersonnaliste, par exemple, se contentera de percevoir l'Absolu dans le son porté par l'éther partout dans la galaxie, tandis que le personnaliste, lui, n'oubliera pas de glorifier la Personne Absolue pour avoir permis aux êtres de pouvoir exprimer leurs sentiments, leurs émotions, leurs pensées, leurs joies et leurs douleurs par le moyen extraordinaire de la parole, de la musique et du chant. Il y a là une réalisation de l'Absolu sous tous ses aspects : impersonnel, personnel et localisé. *Pravanah sarva-vedesu* (Gita 7.8)

« Des paroles védiques, Je suis la syllabe sacrée om ».

L'**om,** également appelé *omkara* et *pravana,* c'est-à-dire la vibration sonore spirituelle adressée au Suprême, et qui commence toute incantation védique, émane de Celui-ci. Les impersonnalistes, qui s'effraient à la seule idée de s'absorber en Dieu par le chant de ses innombrables Noms, préfèrent entendre vibrer le son de l'*omkara,* sans comprendre qu'il est aussi la représentation sonore de l'Aelohim Suprême. En fait, personnalisme et impersonnalisme ne s'opposent pas. **Ces deux aspects de la vérité se complètent parfaitement.** Pour qui connaît la *causa-causorum* de tout ce qui est, a été et sera, toute chose renferme à la fois l'aspect personnel et l'aspect impersonnel, comme l'enseigne d'ailleurs la doctrine sublime Caitanyenne de l'*achintya-bhedabheda-tattva* : l'Unité et la multiplicité simultanées.

A.U.M. : une clé pour la transformation

La manière dont le son peut nous donner l'opportunité de contacter les réalités transcendantales est clairement établit par Swami Bhaktivedanta dans son commentaire du *Vedanta-Sutra*. Dans la deuxième partie de ce monument de la littérature ésotérique dévotionnelle, le verset 17 du premier chapitre se lit comme suit :

> « *Abhyasen manasa suddham*
> *trivrd-brahmaksaram param*
> *mano yacchej jita-svaso*
> *brahma-bijam avismaran* »

Ce qui signifie : « Après s'être assis dans un lieu retiré et pur, le chercheur doit ramener ses pensées sur les trois lettres absolues (A.U.M.) et, en réglant sa respiration, maîtriser son mental de manière à ne pas oublier cette clé spirituelle ».

Om, le *pravana,* l'*omkara,* la syllabe sacrée formée des trois lettres absolues — A.U.M. — *(suddham tri-vrt)* forme la clé, le germe premier de l'auto-réalisation intime. Le réciter mentalement, tout en réglant sa respiration — technique spirituelle, conçue et pratiquée par de grands yogis, par quoi on accède à un état de profonde oxygénation — permet de maîtriser un mental dominé par les modes de la matière. Swami Bhaktivedanta explique qu'ainsi il est tout à fait possible de se guérir des mauvaises habitudes du mental.

Certaines écoles de méditation enseignent qu'il faut « tuer » le mental. C'est une grave erreur ! En effet, rien n'est plus nuisible que de vouloir supprimer l'activité mentale et les désirs de l'être par une méthode ou par une autre. C'est pourtant ce qui est le plus souvent tenté inutilement dans les centres de yoga *(ashram)* mal informés...

Il faut savoir que l'activité mentale et le désir ne peuvent être freinés. Il est toutefois possible de cultiver le désir d'agir en vue de l'émancipation ultime. Pour cela, il est vain d'essayer de « tuer » le mental. C'est plutôt la nature même de ce qui fait l'objet de la pensée qui doit être transformée. Bhaktivedanta précise :

> « Puisque le mental représente le pivot, l'axe qui dirige les organes d'action, si l'on transforme la nature des fonctions mentales — penser, ressentir et vouloir — les activités des sens s'en verront par là même modifiées. Or, seul le son spirituel est à même d'apporter cette transformation souhaitée du mental et des sens, et l'omkara A.U.M. forme le germe premier, la clé de toute vibration sonore spirituelle. La puissance du son spirituel est telle qu'elle peut guérir même celui qui souffre d'un déséquilibre mental ».

Le texte du *Véda* est clair au sujet de cette extraordinaire vibration — le *Sri-Caitanya-caritamrta, Adi-lila* chapitre 7 verset 128 affirme :

> « *prandva ' se mahavakya — vedera nidana isvara — svarupa pranava sarva-vis'va-dhama.* »

Ce qui signifie : « La vibration sonore védique Om *(omkara),* le mot le plus important de toute la littérature védique, est la base de toutes vibrations. Par conséquent, on devrait l'accepter comme la représentation sonore de la personnalité sublime du Dieu-Source, et la percevoir comme dépositaire de toute la manifestation cosmique. »

Rien de moins ! Par ailleurs, Krishna lui-même n'hésite pas à déclarer *(Bhagavad-Gita* 8.13) :

> « *Om ity ekaksaram brahma*
> *vyaharam mam anusmaran*
> *yah prayati tyajan deham*
> *sa yati paramam gatim* »

Ce verset indique que OM est la représentation directe de Dieu. Si, au moment de la mort du corps physique, on se rappelle simplement de ce mantra unique, on quitte son enveloppe charnelle avec le souvenir de la Présence Divine, et en conséquence, on se trouve immédiatement transféré sur les plans spirituels.

Nous verrons dans le chapitre suivant (l'émotion initiatique des Noms sacrés) comment les différentes appellations de la Suprême Divinité sont puissants. Néanmoins, l'étudiant sincère qui comprend que l'*omkara* est la représentation sonore du divin, s'apercevra que la puissance de Om, chanté dans cette conscience, est en tous points identique à celle des Saints Noms. (Bouddha, Yahvé, Jehovah, Allah, Krishna, Cristos, Adonaïs, etc., etc.).

Le saint philosophe Jiva Gosvami affirme dans sa thèse, le *Bhagavat-sandarbha,* que Om est considéré comme la vibration sonore du nom divin. Seule cette vibration peut délivrer l'âme des griffes de l'illusion holographique universelle *(Maya).* Le grand commentateur Sridhara Swami décrit l'*omkara* comme la graine de la délivrance des mondes physiques.

L'avatar réformateur Caitanya stipule dans son enseignement que *Omkara* possède toutes les puissances de l'Absolu et n'est en rien différent de Dieu. Le chanter revient à rencontrer directement la Personnalité des Forces Créatrices de l'univers sous forme sonore.

La *Mandukya Upanishad* déclare que ce qu'il est possible de percevoir des plans spirituels n'est rien d'autre qu'une expansion de la puissance absolue de Om.

Enfin, les Gosvamis, les sages de la culture védique, donnent une explication complète de Om en l'analysant selon les termes de ses constituants alphabétiques :

a — karenocyate krsnah
sarva-lokaika-nayakah
u — karenoeyate radha
ma-karo jiva-vacakah

Omkara est une combinaison des lettres A, U et M. La lettre A se réfère à l'Ami de toutes les entités vivantes et au Dirigeant de toutes les planètes matérielles et spirituelles. C'est l'onde statique selon la science des mantras. La lettre U indique la puissance du plaisir divin (Srimati Radharani) ou l'onde de résonance.

La lettre M indique les êtres vivants. C'est l'onde oscillante, l'énergie marginale.

Les philosophes impersonnalistes (mayavadis) considèrent plusieurs mantras védiques comme étant *maha-mantra,* ou « grand » mantra. Selon la *Bhagavad-Gita,* la plupart de ces mantras ne sont en fait qu'accessoires. L'*Omkara* par contre peut être considéré comme *maha-vakya* ou *maha-mantra,* non différent de Dieu. Une telle réalisation ne se prouve pas en laboratoire et n'est possible qu'en chantant simplement le Nom sacré de la Présence divine, *Omkara.*

Cette combinaison de vibrations sonores (A.U.M.) n'a pas été inventée ou « fabriquée » par un être humain. En réalité, ce son « transcendental » porte en lui une puissance spirituelle et absolue et par la pratique du chant et de l'écoute des harmoniques qui lui sont propres, on réalise que cette puissance **est Dieu-Mère Divine (en tant qu'Énergie-Unificatrice totale) sous tous ses aspects.**

La musique des sphères d'OM

L'*Omkara* est identique à ce que nous pressentons comme Dieu. Cette Présence ne peut être vue ou entendue par des sens imparfait. Telle est la véritable maladie de l'être conditionné.

Une formation reposant sur une technique de maîtrise respiratoire accompagnée par la récitation silencieuse, intérieure, de l'*Omkara* est donc nécessaire à la personne qui désire faire naître les réalisations spirituelles dans le mental, là où siègent toutes les activités sensorielles.

L'écoute et le chant de l'*Omkara* représente le premier pas vers la réalisation spirituelle. Généralement nous souffrons d'une perception incomplète de l'univers. On se montre incapables de réaliser les Formes ou les Noms Sublimes et personnels de l'Absolu à cause de nos sens encombrés par la matière. Tant que cet état subsiste, il nous est impossible de fixer directement nos pensées sur l'aspect personnel de la vérité. En suivant la discipline impersonnelle qui consiste à écouter et chanter l'*Omkara,* le mental se libère peu à peu de toutes les idées préconçues qui l'alourdissent et on parvient à envisager les traits personnels de la présence cachée toute-puissante et toute-aimante.

Progressivement, le son spirituel parvient à détacher le mental des activités sensorielles. Cette vibration sonore soutient la force de l'intelligence qui est alors à même de maîtriser les sens. Le mental perd ainsi graduellement l'habitude de s'absorber dans l'action uniquement matérielle. Il ne sombre pas pour autant dans une stérile inactivité puisqu'il arrive éventuellement à embrasser le service d'amour offert à l'Omniprésence divine et à s'établir pleinement dans une conscience parfaite.

Un processus de purification

Ce service d'amour se manifeste par l'écoute, le chant et le souvenir de ce qui à trait à l'Éternel Père-Mère cosmique commun sous n'importe laquelle de ses multiples représentations personnelles *(sravanam kirtanam vishnou smaranam)* et s'établir dans l'extase parfaite, le *samadhi,* représente le plus haut degré de la méthode prescrite précédemment.

Or, l'expérience nous prouve que même l'état de *samadhi* s'avère inefficace lorsqu'il s'agit de maîtriser un mental absorbé dans la matière. L'histoire de nombreux yogis, témoigne de cette vérité. Le mental, bien qu'il cesse momentanément de penser aux activités des sens, se rappelle les actions du passé qui rejaillissent du subconscient et forme un obstacle pour l'âme qui souhaite se vouer totalement à la réalisation spirituelle. C'est ce qui explique l'importance de la méthode directe de l'écoute et du chant des Noms mantriques de l'Essence Souveraine.

Les Écritures védiques stipulent maintes fois la supériorité de cette méthode. Elles la désignent comme « *yoginam* », la plus sûre des voies menant à l'émancipation spirituelle. Même l'être au mental turbulent sera assuré de progresser s'il emprunte cette voie sous la direction d'un professeur qualifié *(guru)*. Ainsi, la vibration sonore spirituelle impersonnelle *(l'Omkara)*, quintessence de tous les mantras, nous mène jusqu'aux rivages des Noms sacrés de l'Essence Originelle, racine des sept cosmos.

Le chant de ces mantras, et plus particulièrement le chant de OM détient le pouvoir de nettoyer l'intérieur. Ce processus de purification fait disparaître du mental toute la poussière karmique accumulée par le passé. Les résultats de ce chant peuvent être perçus directement sans intermédiaire. Quiconque chante ou écoute ne serait-ce que quelques minutes chaque jour, un ou plusieurs de ces innombrables mots de pouvoir, ressent tôt ou tard un plaisir transcendantal et très rapidement devient purifié de toute contamination matérielle. Il n'y a pas dans les trois mondes, de médecine plus puissante que la musique des Noms sacrés. L'influence agissante de leurs séquences sonores, qui peuvent être émises par l'intermédiaire du langage humain, représente l'outil parfait pour réveiller l'âme.

Musique : physique de l'âme

Si on s'en réfère au livre révolutionnaire du docteur Deepak Chopra, *Quantum Healing* (Exploring the Frontiers of Mind/Body Medicine, édition Bantam Books, 1989, un ouvrage que je recommande vivement à tous ceux et celles qui veulent en savoir plus sur le pouvoir thérapeutique des sons primordiaux), *les particules subatomiques les plus fines seraient des ondes de forme, des vibrations appelées « superstrings », ou cordes suprasensibles, parce qu'elles réagissent exactement comme le font les cordes d'un violon...* Ces *superstrings* se développent partout dans l'univers et leur nombre est infini. Elles sous-tendent toute la création. Étant donné que ce réseau subatomique se situe au-delà de notre réalité limitée à quatre dimensions, aucun instrument de laboratoire, si puissant soit-il, ne peut les observer, pour l'instant.

Cette toute récente théorie de la physique se rapproche étonnamment du texte védique qui stipule que toute la manifestation cosmique est soutenue par un Pouvoir Créateur, comme les perles d'un collier sont soutenues par un fil.

Ainsi, rien n'est inerte, rien n'est isolé. Tout vibre en interaction. Chaque organe est soutenu par une « supracorde » particulière, qui doit être bien accordée faute de quoi l'organe jouera faux. On ne peut donc plus considérer le corps comme une masse de chair inerte ; la vision Ayurvédique nous le montre d'ailleurs comme un réseau de « *sutras* », ou fils conducteurs. Le corps est une table de résonance.

Or, le meilleur moyen d'agir sur une fréquence vibratoire consiste principalement à émettre, par le fameux phénomène de résonance, une fréquence vibratoire correspondante.

Ceci explique par exemple les succès obtenus par le médecin Desikachar qui dirige à Madras (Inde) un institut où sont enseignés la médecine ayurvédique, le yoga et... le chant. Cet institut dont parlent Cécile Baudet et Richard Belfer dans leur brillant dossier « La musique qui soigne » (*L'Impatient,* juin 1989, no 139) est reconnu d'utilité publique par le ministère de la Santé. Le docteur Desikachar souligne :

> « Nos ancêtres avaient classé les lettres de l'alphabet en différentes catégories. Certains sons, HA avec un H aspiré par exemple, ont une action stimulante. D'autres, comme MA, chanté doucement sur une note grave, ont un effet calmant. »

Cette connaissance, disent Cécile Baudet et Richard Belfer a conduit les enseignants de cet institut à utiliser le chant aussi bien avec des femmes enceintes (à titre de préparation à l'accouchement) qu'avec des personnes présentant de l'asthme (pour les aider à expirer) ou de l'hypertension artérielle (pour les aider à se détendre) ou encore des maux de dos (pour corriger à la fois leur respiration et leur position).

Dans leur dossier, les auteurs citent encore Jill Purce, professeur de chant et thérapeute, qui au cours de ses travaux avec Stockhausen et des maîtres bouddhistes tibétains découvre que :

« Beaucoup de nos contemporains sont insatisfaits de leur vie et sentent qu'une autre partie d'eux-mêmes pourrait être développée. Dans ce cas, le fait de guérir — pour les malades — n'implique pas nécessairement un travail direct sur le symptôme. Je considère la maladie comme *l'expression d'un déséquilibre plus profond* qu'il s'agit de corriger. Chaque instant peut être, pour chacun d'entre nous, prétexte à regretter le passé ou à craindre le futur. Du fait de cette angoisse, les choses ressemblent de moins en moins à ce que nous attendions. En fonction de nos points faibles, ce déséquilibre se manifestera par un coup de froid, un mal de dos ou un cancer. »

Ce déséquilibre est aussi un désaccord, une cacophonie d'abord mentale, ensuite cellulaire. La chose à faire est donc de calmer notre agitation mentale de manière à agir sur l'organisme. C'est là que les énergies mantriques sont réellement utiles, voire irremplaçables. C'est la raison pour laquelle un maître tibétain peut nous suggérer des exercices méditatifs qui vont nous conduire à visualiser une lettre, ou une série de lettres, un *mantra,* puis à le chanter. Par le chant (ou l'écoute), on obtient un effet vibratoire qui apaise l'activité mentale souvent débordante et incontrôlée, et on agit directement sur telle ou telle partie du corps.

Comme le souligne avec justesse le docteur Richard Gerber (auteur du livre *Vibrational Medicine,* éditions Bear and Co.) dans une entrevue réalisée par Michel Saint-Germain (*Guide Ressources,* vol. 5, no 2, nov.-déc. 1989) :

« Nous utilisons déjà la médecine vibratoire sans le savoir : toutes ces formes de traitement reposent sur l'énergie. L'establishment médical n'est pas conscient qu'il fait déjà appel à l'énergie pour la guérison. *On utilise déjà les ultrasons pour dissoudre les calculs rénaux : c'est de l'énergie sonore, de la médecine vibratoire.* »

Le son (comme la lumière et l'électricité) est une forme conventionnelle d'énergie électromagnétique ; utilisé en accord avec l'énergie subtile de la conscience (activée par la visualisation mentale effective alliée à la puissance de l'affirmation créatrice), cette forme d'énergie devient en un sens « toute-puissante » car elle est transmise jusqu'aux plus intimes oscillations de l'organisme par le vecteur des « cordes suprasensibles ». Le son est le nouveau scalpel du chirurgien mais c'est un scalpel qui ignore la douleur, qui ignore complètement les dangers de l'anes-thésie générale ; de plus il est plus agréable de se soumettre (« se mettre dessous ») aux énergies musicales plutôt que d'abandonner son enveloppe charnelle, souvent avec une foi aveugle, aux mains de ceux qui pratiquent encore la médecine au moyen de l'artillerie lourde de la chirurgie moderne.

Ainsi donc, l'énergie vibratoire justifie en partie les résultats obtenus en utilisant la force thérapeutique de la musique et des mantrams. Ce courant sonore subatomique étant rétroactif, le réseau de cordes suprasensibles explique également pourquoi la *Bhagavad-Gita* définit le Principe-Source comme « le son qui traverse l'éther ». C'est l'omniprésence qui soutient tout. Il n'y a plus, à ce niveau, de concept religieux (au sens catholique ou hindou du mot) ; il y a vision intuitive, connaissance, et applica-tion de ce qui a été « vu » par la tradition millénaire comme par l'expérience scientifique (physique quantique, physique micro-vibratoire, médecine vibratoire, etc.). Cette omniprésence phy-sique de particules subatomiques vibrantes et dansantes, que le physicien Fritjof Capra compare avec justesse à la danse du dieu Shiva, nous éclaire par ailleurs sur l'homme primitif (que je quali-fie d'homme originel et non de « primaire », comme l'éducation conventionnelle s'évertue encore à le décrire) sentait et compre-nait ceci : cet homme prétendument primitif, préhistorique, en imi-tant les sons naturels de son environnement, s'investissait de la puissance des forces qui étaient à l'origine de ces sons. Cet effet rétroactif des ondes subtiles, la science ne l'a pas encore « décou-vert ». L'homme primitif n'était donc pas si peu évolué qu'on veut bien nous le laisser entendre.

Cette opinion est partagée par la doctoresse Thérèse Brosse, qui a été chef de clinique de cardiologie de la Faculté de Méde-cine de Paris durant de nombreuses années. Dans une lettre adressée au chercheur Maud Forget, elle écrit :

> « Il n'y a pas de doute que l'homme de la préhistoire avait une connais-sance directe des choses, cela du fait que la stratégie évolutive qui allait nous emmurer dans un mental inexorable, ne l'avait pas encore touché. »

On ne peut mieux dire.

L'énergie sonore électromagnétique consciente forme le fondement des chants et des danses rituels des chamans et des hommes-médecins de la civilisation amérindienne. Cette même énergie était utilisée lors des cérémonies brahmaniques de la culture védique et des initiations égyptiennes durant lesquelles de grandes formules phoniques, de puissantes structures sonores, mantriques, étaient chantées et entendues. Aujourd'hui, les accélérateurs de particules ont permis la découverte d'un réseau — ou courants — suprasensibles. On comprend mieux comment les mantras peuvent déclencher des effets vibratoires qui exercent au niveau atomique et subatomique une profonde influence physique, psychique et... spirituelle. Les Égyptiens appelaient la musique, la « physique de l'âme ». Ce n'est pas le docteur Chopra, pour qui l'ADN est le messager du monde quantique, qui les contredira. C'est par cet infini réseau de cordes suprasensibles, que, pour les mythologues, Orphée redonna la vie à Euridice grâce au son harmonieux de sa harpe et de la douce puissance de sa voix. C'est de cette manière également que les chirurgiens-musiciens de l'Atlantide, selon la légende, guérissaient leurs patients.

Le docteur Frank Alper n'est pas archéologue. Il est le fondateur de l'Arizona Metaphysical Society et est un professeur bien connu de métaphysique aux États-Unis. Dans son œuvre *Exploring Atlantis* (Arizona Metaphysical Society, Phoenix, 1981), le docteur Alper décrit ce que les Atlantes appelaient le « Temple du Son ». À l'intérieur de ce bâtiment en forme de pyramide et aux murs de lumière, les Atlantes élevaient leurs vibrations moléculaires en chantant certains assemblages de sons. Le docteur Alper n'hésite pas à comparer ce langage à l'ancienne langue hébraïque qui est, selon lui, dérivée des vibrations vocales utilisées aux premiers jours de l'Atlantide. Certains de ces chants n'ont pas été entendus sur la Terre depuis des milliers d'années. Pour souligner l'universalité des processus sonores, le docteur Alper écrit, à propos de la structure « *yo-ooh-daa* » :

« Ce chant symbolise le nombre dix et le nombre un. Ce qui correspond au « Yod » de l'alphabet hébreu. Le « Yod » représente la force de l'Univers ;

cette lettre est donc extrêmement puissante, et est un chant ou un son spirituel très élevé. »

Plus loin, Alper ajoute :

« Il est important de comprendre que les vibrations du son servent exactement les mêmes fonctions qu'un diapason. Dès qu'elles touchent votre peau, vous en ressentez profondément les pulsations. »

Notons que les ouvrages du docteur Alper, et spécialement *Exploring Atlantis,* vol. 1, 2 et 3, sont d'une extrême limpidité en ce qui concerne l'utilisation thérapeutique des sons, des couleurs, et des cristaux (médecine vibratoire) dans la tradition initiatique atlante[1]. Ces rituels sonores que sont les mantras sont le moyen par lequel une force vibratoire déterminée est transmise à un organe, à un muscle, à une vertèbre, à une pensée, par le vecteur subtil de particule subatomique. En faisant parvenir au corps tout entier (physique, émotionnel, éthérique) une vibration d'harmonie parfaite, comme le son primordial OM par exemple, il est possible de réaccorder cet instrument de musique que représente notre organisme global.

Dans son livre essentiel *Du Son jaillit la lumière,* Hélène Caya écrit :

« Les techniques d'écoute des résonances intérieures et de réalignement demeurent avant tout un moyen de prévenir les graves perturbations de l'organisme. La situation idéale demanderait qu'on aille vérifier chaque jour les petits désordres qui, comme des intrus, viennent déranger notre paix et notre équilibre. »

C'est exactement ce que fait la personne qui auditionne, écoute ou entend, consciemment ou non, un chant méditatif mantrique ;

---

1. Vingt-quatre de ces chants thérapeutiques atlantes ont été enregistrés et sont disponibles au siège de l'Arizona Metaphysical Society (P.O. Box 44027, Phoenix, Arizona 85069). Chantés par la voix du docteur Frank Alper lui-même, ces chants ont une puissance thérapeutique certaine. Tout le crédit de la redécouverte de ces chants universels lui revient. Une version artistique de ces sons de guérison atlantes est donnée de manière moins complète sur la face yang du disque Atlantis Angelis (Atlantis Angelis, sons qui guérissent, A-3318, n° 73 Aura-Musick).

que ce chant provienne d'Atlantide, d'Égypte, de l'Inde, d'Amérique, d'Afrique ou d'une autre planète n'a qu'une valeur toute relative, ce qui compte c'est surtout de mieux saisir et de mieux appliquer cette musique «quantique» (ou en d'autres mots, les sons primordiaux, créateurs et archétypaux de l'Univers) qui agissent au niveau de la cellule atomique et au niveau de la pensée (cellules et pensées n'étant rien d'autre, rappelons-le, que de l'énergie en vibration).

Chaque jour, chez soi, ou régulièrement au cours d'ateliers dirigés, il est permis de réharmoniser son esprit et son corps par le son. À titre préventif ou à titre thérapeutique.

Cette harmonisation globale rejoint le rythme cardiaque, la circulation sanguine, la respiration, la digestion, mais aussi touche directement les glandes, ces organes extraordinaires dont la fonction est de produire des sécrétions et qui jouent un si grand rôle dans notre équilibre psychique et spirituel.

Il y a un peu plus de cinquante ans, les glandes endocrines étaient ignorées ; pourtant les sages de la civilisation védique en connaissaient l'existence. Chaque glande, selon le *Véda,* a une fréquence vibratoire, qui coïncide avec celle d'un *bija-mantra,* c'est-à-dire d'un son primordial (son-semence ou son-racine). Chaque glande correspond à un état de conscience qui est lui-même localisé dans un «centre» ou chakra. Nous y reviendrons. Dans le paragraphe suivant, un exercice est proposé dans lequel les centres de conscience sont réaccordés sur une juste fréquence. Il n'est pas nécessaire de comprendre intellectuellement comment ce genre d'exercice millénaire qui met en application les fondements de la médecine vibratoire fonctionne. Les Atlantes pratiquaient un exercice similaire dans leur Temple du Son. Les Égyptiens avaient les mêmes pratiques dans leur clinique-monastère qu'ils appelaient Temple de la Beauté.

Qu'on puisse ou non analyser par la raison la nature exacte du feu, il brûle. De la même manière, le son agit. L'état de plénitude et de santé qu'il provoque lorsqu'il est employé méthodiquement passe le test d'un examen scientifique minutieux pour la simple et évidente raison qu'il agit...

Réharmonisation des centres de conscience par le son et la couleur

La médecine de l'École « majoritaire » ne reconnait qu'un seul corps : le corps physique. Il faut avouer que cette perception est on ne peut plus limitative, primitive et désuette. Depuis des milliers d'années, les humains qui se sont élevés un tant soit peu au-delà des sensations physiques en accélérant leurs vibrations moléculaires, reconnaissent par expérience l'existence d'un corps immatériel, plus subtil que l'enveloppe charnelle. Ce corps subtil, ou astral, n'étant pas constitué d'atomes physiques, ne peut être perçu par les sens grossiers. C'est la raison pour laquelle l'humanoïde qui n'est pas passé par un processus de purification visant le développement de la clairvoyance, de la clairaudience, de la télépathie, de l'intuition et de tous les pouvoirs psychiques en général, est voué à demeurer dans l'espace réduit de sa vue et de son audition physique.

Combien d'hommes et de femmes bien éduqués, diplômés, sûrs d'eux-mêmes et de la pauvre éducation qu'ils ont reçus, passent ainsi complètement à côté de leur liberté et de leur bonheur !

La véritable sécurité, la véritable santé ne repose que sur une chose : l'harmonisation du corps subtil. Ce n'est que lorsque ce corps vibre en sympathie avec l'équilibre du cosmos, que toute la vie physique peut s'épanouir. L'aspect du corps physique est le reflet direct de l'état dans lequel se trouve le corps subtil. L'anatomie du corps subtil est connue depuis des temps immémoriaux et le *Véda* nous l'explique dans tous les détails. L'ancienne littérature chinoise nous a légué également d'importantes informations à ce sujet. Ainsi, on sait que ce corps est couvert de points spécifiques minuscules, appelés en chinois « *hsié* » qui correspondent aux points d'acupuncture. En les activant, il est possible de libérer des courants d'énergies cruciales quand au bon fonctionnement de l'ensemble de l'organisme. Certains points sont remarquables ; il s'agit des centres d'énergies appelés en sanskrit *chakras*. *Chakra* signifie roue de conscience-énergie. Un système de nerfs subtils relie ces centres les uns aux autres ; ce sont les *nadis.* La clairvoyance nous montre ces *chakras* sous forme de spirale ressemblant étrangement aux trous noirs de l'espace. Les *chakras* sont des émetteurs-récepteurs extrêmement puissants. S'ils sont débalancés, ou désaccordés, tout le fonctionnement émotionnel de l'individu s'en trouve affecté. La manière dont on perçoit l'existence dépend directement de leur bonne ou de leur mauvaise harmonisation.

Toutes sortes de tensions et de peurs bloquent habituellement ces centres, et cette accumulation d'émotions négatives nous empêche de jouir pleinement de notre héritage de vie qui est, selon les lois divines, un trésor inépuisable de sérénité et d'abondance **à tous les niveaux.**

Comme rien n'est laissé au hasard dans la galaxie, il est possible d'exercer une action immédiate sur les *chakras.* Chacun d'entre eux résonne « avec » une fréquence particulière et correspond à des plans de conscience spécifiques. Lorsque ces points sont alignés et vibrent en harmonie, la sensation que l'on ressent ne peut être décrite par le langage humain. Les mots qui expriment le plus ce sentiment de plénitude sont la force, la santé, la beauté, le savoir, la réussite de l'existence, la lumière vivante et l'amour pur. Ces centres de conscience sont au nombre de sept et leurs correspondances dans les différents plans visibles et invisibles, mobiles et immobiles sont illimités.

1. Le centre-conscience de la Terre
(muladhara chakra)

C'est littéralement le support, la base de l'être incarné. Situé au périnée (entre l'anus et les parties génitales), il constitue le plancher de l'individu. Ce centre nous relie à la Terre-Mère et à toutes les entités vivantes qui s'y trouvent. Toutes nos peurs existentielles y résident. Le centre-racine peut aisément être nettoyé de ces tensions aussi inutiles que dangereuses par la couleur **rouge**, la note **do** et le *bija-mantra* **Lam** en laissant paisiblement le mental être absorbé par les affirmations positives correspondantes :

— Je me sens parfaitement relié à la Terre et à tous les êtres sur la Terre. Je les aime et ils m'aiment. Je n'ai donc rien à craindre d'eux et ils n'ont rien à craindre de moi. Tout va bien. En visualisation, je laisse la couleur rouge et la vibration sonore *Lammmmm...* dissoudre mes peurs. Si quelque chose m'effraie en particulier, je me permet d'y penser, de le visualiser et d'admettre que cela me fait vraiment peur. Je laisse ensuite le rouge et le Lam transformer cette peur en poussière cosmique. Les tensions se relâchent. Je me sens intégré à la Terre, ainsi que reliés aux êtres sur la Terre. Rien n'existe dans l'univers dont je puisse avoir peur. Je me sens parfaitement protégé et soutenu. Les forces du bien omniprésentes m'aiment et me protègent. Je suis l'âme immortelle ; indestructible, inaltérable et éternellement heureuse.

2. Le centre-conscience de l'eau
(svadhisthana chakra)

C'est l'arbre magique, le totem, le siège intime de l'être, son individualisation propre, son fondement. C'est le *chakra* du sexe et il est relié à l'élément eau. De son bon fonctionnement dépend la créativité, la libération des frustrations sexuelles, la circulation sanguine, les relations sociales. Il réagit à la couleur **orange**, à la note **ré** et à la vibration semence *Vam*.

Les affirmations qui lui correspondent sont les suivantes :
— Je visualise la couleur orange et je chante le mantra *Vammmmm...* sur la note ré. Je sens que la synthèse de ces fréquences nettoie et réactive mes organes de reproduction. Cette action équilibre parfaitement en moi l'énergie masculine et l'énergie féminine. Je suis par conséquent capable de donner et de recevoir ; je suis capable de créer tout ce qu'il m'est possible de concevoir. Si je sais que je porte en moi un quelconque résidu, un complexe, une frustration sexuelle, un traumatisme spécifique, je me permets d'y penser, de le visualiser et d'accepter que cela existe réellement, sans essayer de l'ignorer ou de le tenir caché. Je laisse maintenant la couleur et le son dissoudre cette tension et la faire complètement disparaître.

Je sais désormais que mes relations sexuelles seront belles, libérées de la peur, de la violence et de l'égoïsme. Je suis capable de créer de belles choses. Toutes mes relations sont harmonieuses. Je m'entends bien avec tout le monde. Je n'ai plus aucune amertume envers quiconque et personne n'a d'amertume envers moi. Je n'en veux à personne, et personne ne m'en veut. Les forces du bien m'aiment et me protègent partout et toujours. Je suis l'âme immortelle, indestructible, parfaitement consciente et éternellement heureuse. Je suis une partie de Dieu. Je suis divin. Je suis un avec Dieu en qualité. Je suis d'essence divine.

3. Le centre conscience du feu
(Manipura)

En sanskrit, *manipura* signifie « citadelle remplie de joyaux ». Ce centre se localise près du nombril. Il est réellement plein de trésors puisqu'il est le siège du pouvoir, de l'énergie, des sentiments personnels, de la volonté, du libre arbitre, de l'ambition. Il est relié au feu. C'est le *chakra* du plexus solaire, au creux de l'estomac. Il contrôle la colère. Il peut être activé et rééquilibré par la couleur **jaune**, la note **mi** et le *bija-mantra* **Ram**.

Les affirmations qui le purifient sont les suivantes :
— J'utilise maintenant la visualisation de la couleur jaune et le son-semence *Rammmmm...* chanté sur la note mi pour agir bénéfiquement sur ma conscience émotive. J'utilise mon pouvoir intérieur pour équilibrer ma volonté et mes émotions. Je ne prends plus les paroles et les gestes de mes frères humains comme des attaques personnelles. Je sais qu'il n'y a pas de « méchants » dans ce monde mais qu'il n'y a que des « souffrants ». Je pardonne. Si par le passé je me suis senti brutalisé par les paroles ou les gestes de quelqu'un, je choisis maintenant d'en ressentir une dernière fois la douleur et j'admets qu'elle existe. Ensuite, je la laisse se fondre dans l'univers, emportée par les vibrations du jaune et par le son Ram. Je sens la douleur graduellement s'en aller. Je respire le jaune et je m'absorbe dans le chant de *Ram*. La douleur disparaît et je me sens de plus en plus fort. Je suis le maître de mes

émotions. Je suis le maître de ma volonté. Je prends conscience de mon propre pouvoir. Je suis l'*atma* immortelle, indestructible et éternellement heureuse. Je suis d'essence divine. Je suis un avec Dieu en qualité.

4. Le centre conscience de l'air
(anahata chakra)

C'est le lotus du cœur. En sanskrit *an-ahata* signifie un son qui est créé sans être généré par une action physique. Comme un instrument de musique non soufflé, non frappé, non pincé. Ce centre électro-magnétique est relié à l'âme. C'est par l'intermédiaire de ce *chakra* que nous ressentons l'amour. Il correspond au centre énergétique de l'amour. Si nous dirigeons cet amour vers les *chakras* inférieurs, nous « tombons » amoureux et lorsque ces centres ne sont pas équilibrés, l'amour est teinté d'égoïsme, de possession et de jalousie ; ce qui bloque l'élévation de l'âme. Si nous le dirigeons au contraire vers les centres du haut, nous « montons » en amour et ce sentiment aura toutes les chances d'être très bénéfique, surtout s'il est libéré du jugement, de la culpabilité et qu'il est dirigé vers les états de conscience illimitée.

Le *chakra* du cœur s'harmonise avec la couleur **verte**, la note **fa** et le son-semence *Yam*. Déréglé, il provoque l'asthme, les maladies de cœur, l'hypertension etc...

Des pierres comme le quartz rose et la tourmaline, ainsi que l'émeraude lui sont particulièrement favorables. Il correspond à l'élément air et est influencé par la planète Vénus. Le métal qui agit le plus sensiblement sur lui est le cuivre. Lors de la réharmonisation de ce chakra, il est bon de brûler de la lavande ou de jasmin car ces herbes vibrent en parfaite harmonie avec les énergies qui y sont enfermées.

Les affirmations pour le centre du cœur sont :
— Je respire la couleur verte et je chante le son *Yammmmm*... sur la note fa. Je sens que ces vibrations fortifient mon système immunitaire. Je réalise maintenant que j'ai de l'amour pour toutes sortes de personnes, indépendamment de leur condition, de leur

race, de leur situation ou de leur aspect extérieur. Je sens que je les aime vraiment. J'ai de la gratitude pour toute l'humanité. Plus je donne, plus je reçois. Je sens que ces vibrations et ces énergies renforcent tout mon corps et illuminent mon esprit. Je sens l'amour pur et inconditionnel imprégner tout mon être. Je sens mon cœur s'ouvrir. Je suis capable de donner mais aussi de recevoir. Je visualise maintenant cette personne que je désire aimer de façon inconditionnelle. Cette relation est ma force et ma joie. Je suis le réceptacle et la source de l'amour. De mon cœur jaillit une rivière de lumière qui irrigue la Terre entière. Je suis d'essence divine, immortelle. Je suis un avec Dieu et je suis un avec son amour. Je reçois cet amour et spontanément le redonne à tous les êtres vivants.

5. Le centre-conscience du son
(Visuddha)

C'est le centre de l'éther ; seul le son peut pénétrer l'éther et c'est pourquoi le *visuddha chakra* est l'émetteur-récepteur du son. Il est, c'est évident, situé juste derrière la gorge et est directement relié à la glande thyroïde. Lorsqu'il est encombré de négativité, les symptômes sont facilement identifiables : mal de gorge, torticolis, rhume, problèmes d'oreilles et dérèglement de la glande thyroïde. Il est influencé par les planètes Neptune et Mercure. La pierre qui l'active est la turquoise. Ce *chakra* est celui de la communication, de l'expression, du jugement. Il s'exprime par la voix. Sa couleur est le **bleu**, sa note est **sol** et son *bija-mantra* **Ham**.

Les affirmations qui le libère de ses blocages sont :
— Je visualise cette personne avec laquelle je ne peux communiquer pleinement, (cela peut être quelqu'un de ma famille, ou un ami, ou une relation professionnelle, peu importe). Les vibrations énergétiques de la couleur bleu et du son *Hammmmm...* m'aident maintenant à exprimer ce que je ressens. De plus, je peux exprimer les moindres détails de ma vie, sans conserver de secrets. Je ressens comme il est bon de pouvoir s'exprimer ainsi. Les mots s'écoulent facilement et je ne ressens plus aucune tension. Ma

gorge s'ouvre, se dénoue, et je sens que je suis désormais capable de dire toutes les choses que j'ai toujours voulu dire.

Je me souviens avoir jugé mes frères avec dureté. Je réentends chaque mot, chaque parole, chaque pensée. Je sens alors l'énergie bleu et la vibration sonore *Ham* me libérer de tous ces jugements, de toutes ces paroles. Je communique mon enthousiasme aux autres et je sens que tous me comprennent. Je suis libre d'exprimer tout ce que je ressens à l'intérieur. Je suis libre du jugement et tous comprennent mon attitude positive. Je suis la libre expression de Dieu. Je suis l'âme éternellement libre de communiquer et d'exprimer tous les détails de ma vie divine.

6. Le centre conscience de la lumière
(ajna chakra)

C'est le troisième œil situé au front. En sanskrit *ajna* signifie commandement. C'est du troisième œil que jaillissent les formes-pensées du mental qui sont à l'origine de tout ce qui se manifeste sur l'écran de notre vie. L'être humain est ainsi doté du plus merveilleux des instruments de création. Il peut visualiser ce qu'il désire et cette image se manifeste dans son existence. Il n'y a pas de vision sans lumière. C'est par ce centre que nous possédons le pouvoir divin d'obtenir **tout ce que nous choisissons**, consciemment ou inconsciemment, d'imaginer. Si nous pouvons imaginer quelque chose, nous pouvons l'obtenir, l'atteindre. Par *ajna chakra* se réalise tout ce que nous souhaitons pour nous-même comme pour nos frères. Par *ajna chakra,* nous sommes le commandant, l'autorité qui donne ses ordres aux circonstances de la vie. En dirigeant ce centre, nous devenons véritablement des maîtres. Nous ne sommes plus des victimes résignées face aux événements de l'existence.

La couleur de ce *chakra* est l'**indigo** (bleu foncé aux reflets rougeâtres ou violets); sa note est le **la** et son *bija-mantra* est *Om*. Il influence la glande pinéale. Son mauvais fonctionnement provoque la cécité, les maux de tête, les cauchemars. Il est influencé par la planète Jupiter. Son métal est l'argent. La pierre du troisième œil est le cristal de quartz.

Les affirmations qui influencent ce chakra sont :

— Je me concentre maintenant sur quelque chose que je désire vraiment. Cela peut être quelque chose de matériel ou de spirituel. Je visualise cette chose dans la couleur indigo en la faisant vibrer à la fréquence du son *Ommmmm...* sur la note la. J'imagine cet objet, cette situation ou cette circonstance dans tous ses détails. Je la touche en imagination créatrice, j'en ressens la surface. J'en respire le parfum, j'en apprécie les formes précises à l'aide de ma vision subtile ; j'en entends les bruits. **Maintenant, je projette cette vision dans le monde.** Je sens que cette image devient réalité dans toute sa splendeur et me comble de joie. Je sais que tout ce dont je suis capable de rêver, d'imaginer, devient réalité.

Je visualise ce que je désire vraiment faire de ma vie, de mon destin. Je visualise mon plus cher désir, dans tous les détails, parfums, formes, couleurs, sons etc... et je le projette dans le monde. Je suis le créateur des circonstances. Personne d'autre que moi n'est responsable des évennements qui marquent mon existence. Tout ce que je conçois devient réalité. Je suis d'essence divine. Je suis un avec Dieu en qualité.

7. Le centre-conscience de l'au-delà
(sahasrara chakra)

Ce *chakra* porte un autre nom : *brahmarandra*. *Randra* signifie ouverture. Ce passage nous donne accès à *Brahman,* le plan spirituel. Il est la porte du ciel située juste au-dessus de la tête, sur le corps subtil. Il s'ouvre sur ce royaume situé au-delà du temps et de l'espace. Sa couleur est le **violet**, la dernière du spectre solaire. Il vibre sur la note **si** et son *bija-mantra* est constitué de toutes les hautes fréquences sonores apparentées aux Noms divins ; ces Noms culminent dans le *Maha-Vakya* ou *Maha-Mantra* A.U.M. qui est la représentation complète du Père-Mère Divine et tout ce qui est.

Ce centre magnétique est relié à la glande pituitaire. Lorsqu'il est bloqué, le corps physique et le mental réagissent par la dépression, la folie, l'ennui, l'incapacité d'appréhender la vie. Il est influencé par Uranus. Son métal est l'or et la pierre qui lui est bénéfique est le diamant, et plus encore l'améthyste.

Les affirmations qui le réactivent sont les suivantes :

— Je visualise maintenant le Dieu-Source tel que je le conçois. Cette image se tient au-dessus de ma tête, dans un bain de couleur violette. Je sens que cette image divine entre en moi et que je l'intègre. Je laisse les trois lettres sacrées A.U.M. faire vibrer tous les éléments de mon être.

A est le père. U est la Mère Divine, M, tous les êtres vivants et tout ce qui est. À présent je laisse la visualisation du Dieu-Source et de tout ce qui est me porter au-delà de ma propre compréhension. De plus en plus loin, de plus en plus près. Dieu est omniprésent. Je laisse l'image divine me porter là où elle le désire. À l'extérieur comme à l'intérieur. Dans la forme comme dans le sans-forme. L'omniprésence devient présence. Cette présence est en moi. Elle est une partie de moi et je suis une partie d'elle. Elle illumine chacun de mes *chakras*. Toutes les couleurs, tous les sons deviennent un. Je sens que je peux vraiment compter sur cette Présence. Elle est en moi. Elle est réelle. Elle est partout dans ma vie ; elle m'aime. Je sais que cette relation d'amour est infinie et absolue. Je suis parfaitement aimé. Je suis l'âme immortelle, éternellement heureuse.

Cet exercice de réharmonisation du corps astral peut être pratiqué chaque jour. Le matin, pour se «charger» de bonnes fréquences, et le soir, pour se «brancher» sur les Énergies Cosmiques afin de reprendre des forces physiques et subtiles. N'oublions pas, comme le soutenait le maître Hermès, que **tout est vibration, rien n'est inerte, tout vibre, tout s'équilibre par oscillations compensées** ; toute cause a un effet, tout effet a une cause, tout possède un principe masculin et un principe féminin, tout a deux pôles, tout est esprit. Le corps humain est une table d'harmonie, un instrument de musique qui mérite, comme tout instrument, d'être réaccordé régulièrement. Une telle «mise au point» technique nous donne l'assurance de connaître un état de santé, de paix et de joie inoubliable.

CHAPITRE QUATRE

L'ÉMOTION INITIATIQUE DES NOMS SACRÉS

« L'Éternel est un, mais il a beaucoup de noms. »

Rig-Veda

« L'expérience de Dieu est un flux, une totalité, le kaléidoscope infini de la vie et de la mort, la cause ultime, le fond des êtres, ce que Alan Watts a appelé « le silence duquel proviennent tous les sons ». Dieu est la conscience qui se manifeste sous forme de « *lila* », le « jeu de l'univers ». Dieu est la matrice organisationnelle indicible, mais qu'on peut connaître par expérience, et qui anime la matière. »

Marilyn Ferguson
Les Enfants du Verseau

« Le fond de connaissance renfermé dans le mantra n'est pas accessible à la pensée, mais il reviendra tôt ou tard en partage, d'une manière spirituelle, à celui qui le prononce spirituellement dans son for intérieur, alors même que les relations de mot à mot lui resteraient par elles-même une énigme... Qu'on ne se préoccupe pas davantage des quelques mots de sanskrit introduit dans le texte !. »

Bô-Yin-Râ
La pratique des Mantra

« L'horloge ne peut exister sans horloger. »

Voltaire

Le son contemplatif

Le mot sanskrit *mantra* signifie « libération du mental ». C'est un son, ou une combinaison de sons, qui délivre le mental de son conditionnement matériel et de ses limites. On trouve des mantras dans toutes les cultures, traditions et systèmes religieux. Ils ne sont pas la propriété exclusive de l'Orient. Certaines litanies issues du christianisme originel sont aussi des mantras. Les musulmans, les bouddhistes, les zoroastriens ont également leurs mantras spécifiques.

Dans notre société d'inspiration judéo-chrétienne, de nombreuses personnes se sentent plus en résonance intérieure avec des formules mantriques chrétiennes, plus étroitement liées à leur culture. Cela est encouragé. Qu'importe le mantra, pourvu qu'on ait l'ivresse de la délivrance spirituelle, ivresse mystique que la vibration sonore ne manquera pas de faire jaillir du fond de l'entité sérieuse qui le pratique. Des âmes saintes qui ont suivi la voie d'une chrétienté authentique (au sein de l'Église catholique ou en dehors, car l'appartenance à un groupe religieux quelconque est vraiment sans importance) ont atteint les hauts sommets du détachement et de la joie intérieure indestructible par la célèbre « prière du cœur », ou d'autres incantations efficaces. Des saints ont trouvé dans les livres révélés de cette même tradition, la voie du salut par le son contemplatif.

Les Récits d'un pèlerin russe (dont l'auteur reste inconnu) cite à ce sujet un texte de Pierre Damascène qui fait partie de l'illustre *Philocalie* :

« Il est bon de s'entraîner à invoquer le Nom du Seigneur plus qu'à la respiration, en tout temps, en tout lieu et en toute occasion. L'adepte dit : Priez sans cesse. Il enseigne par là qu'il faut se souvenir du Dieu Interne en tout temps, en tout lieu et en toute chose. Si tu fabriques quelque chose, tu dois penser à l'auteur de tout ce qui existe. Si tu vois la lumière, souviens-toi de Celui qui te l'a donnée. Si tu considères le ciel, la Terre, la mer et tout ce qu'ils contiennent, admire et glorifie Celui qui les a créés. Si tu te couvres d'un vêtement, pense à Celui de qui tu le tiens et remercie-le, Lui qui pourvoie à ton existence. Bref, que tout mouvement te soit motif à célébrer le créateur ; ainsi tu prieras sans cesse et ton âme sera toujours dans la joie ».

Voyez comme ce procédé est simple, facile et accessible à tous ceux qui ont le moindre sentiment humain.

La pensée des *Védas* est en tous points identique à celle de la *Philocalie,* quand au chapitre neuf, verset 27, la *Bhagavad Gita* dit :

yat karosi yad asnasi yaj juhosi dadasi yat
yat tapasyasi kaunteya tat kurusva mad arpanam

« Quoi que tu fasses, que tu manges, que tu sacrifies et donnes, quelque austérité que tu pratiques, que ce soit pour Me l'offrir ».

Le chant silencieux des créatures

La tradition soufi donne également une immense importance à la contemplation du principe divin par l'audition des sons mystiques. Selon le Coran (*Sourate* 17.44), toute créature est en état constant d'oraison. Le grand commentateur Purjavadi dit que ce chant de louange consiste en une harmonie, que l'Ancien des Jours a placée en chaque être. Dans un ouvrage intitulé *Musique et extase* explorant le vaste champ des musiques mystiques et extatiques du monde musulman, le spécialiste Jean During explique que selon la tradition :

« Le chant silencieux des créatures peut être perçu par les sages au cœur éclairé, tout comme l'était l'harmonie des sphères.

Abdulkarim Jili parle d'un degré d'illumination où le divin se révèle par son attribut d'entendant. À certains, Dieu se révèle par la qualité de l'audition ».

Le soufi pratique le *dhirkr,* qui est une technique de remémoration verbale, une sorte de litanie répétitive apte à lui procurer le *dhawq,* ou le goût c'est-à-dire l'expérience directe. C'est ce goût, ce sentiment, ce plaisir immense qui est la réponse du Dieu-Source ; plaisir mystique offert en réponse au chant contemplatif. Pour l'adepte du son mystique, le sentiment extatique qui le saisit au cours de l'audition musicale *(sama),* provient des visions lumineuses qui font leur apparition et qui s'effacent. Ces visions sont aussi des états intuitifs furtifs mais inoubliables.

Lorsque ces éclairs magnifiques traversent le ciel de sa conscience, l'adepte ressent un tel bonheur que pour lui, tous les soucis reliés à la forme manifestée sont réduits à néant. Il sait qu'il n'oubliera jamais ces instants confidentiels pendant lesquels l'être de son être s'est montré. En suivant fidèlement les instructions de son guide-maître, il absorbe sa pensée dans l'incantation ésotérique interne. La force du chant-prière est telle qu'elle révèle subitement un état, une connaissance universelle qui était enfouie au plus profond du chanteur.

Par la prière constante envoyée vers l'Intelligence Suprême, le récitant de même que l'écoutant, connaissent des états subtils qui viennent du monde invisible. Ces états ne viennent pas du dehors car le royaume de la lumière est partout à l'intérieur. Le chant sacré, matériellement silencieux mais audible à l'oreille libre et sereine, n'apporte rien qui ne soit dans le cœur ; **il fait surgir ce qui est déjà là, de toute éternité.**

Le *shabda,* une énergie de lumière consciente

Il existe deux fonctions précises à l'audition des mots de pouvoir. D'une part, elle provoque la détente, la relaxation, et peut aller plus loin en favorisant l'élimination des substances toxiques, la guérison du corps et de l'esprit. D'autre part, et c'est sans doute son rôle le plus important, elle nous conduit vers l'appréciation de l'être intime, et vers la prise de conscience de l'*atma,* l'âme solaire en nous.

La musique des mots de pouvoir est une manifestation du *shabda* ou son primordial. C'est une énergie douée des puissances créatrices et transformatrices. Cette énergie vient de Dieu et est Dieu. **Le *shabda* n'opère pas par l'intermédiaire des vibrations sonores physiques. C'est une énergie de lumière consciente.** Il ne faudrait pas, par contre, attribuer une trop grande importance à la manière de prononcer les mantras. Les composants sonores qui participent à leur structure n'ont que peu d'importance en eux-mêmes. Cela explique que les variantes de la syllabe *om* (*ung* en tibétain, *ang* en chinois, et *ong* en japonais ; et même le *amen* de la tradition judéo-chrétienne) **produisent le même effet mantrique** !

Le *shabda* est le son intérieur, cette vibration non-matérielle qui a le pouvoir de libérer les forces dormantes tapies en nous depuis l'aube des temps. Nous sommes tous les héritiers et les dépositaires de ces énergies subtiles. Issu de la conscience universelle, chaque être représente une parcelle divine individuelle, un « fils de Dieu » (*aham bija-pradah pita,* Gita 14.4).

Que cette étincelle divine soit arrivée au point de son évolution où elle doit habiter un véhicule charnel appartenant au règne végétal, animal, humain, angélique ou dévique ne change rien à sa position (bien que l'entité ayant acquis un corps physique féminin soit souvent plus intuitive que celle pourvue d'une enveloppe charnelle masculine, précisons que, selon le *Véda,* l'homme et la femme sont spirituellement égaux à tous points de vue). Par conséquent, en tant que parties du tout complet et absolu — fils et filles de l'unité multiple parfaite — nous avons le pouvoir et le droit d'éveiller nos forces psychiques et *chakras* correspondants, à la réalité supérieure de l'espace abstrait absolu. Ce réveil se fait par la vibration sonore non-matérielle. Réveillées par le *shabda* — le son intérieur originel — nos énergies subtiles désenchevêtrent les centres de nos corps éthériques et dénouent les points électromagnétiques rendus stériles et inertes par suite d'un art de vivre en désaccord avec le rythme de la vie. Ainsi, la vibration sonore spirituelle — le *mantra* — fait vibrer en sympathie le *shabda* intérieur, seule force capable de guérir de l'illusion *(maya)* et de transmuter le plomb de la matière en l'or de l'esprit.

L'invisible réalité

Scientifiquement, l'illusion serait une vision holographique de l'univers. Le chercheur Pribram avait cette vision. Il pensait que si la nature de la réalité est elle-même holographique, et si le cerveau fonctionne holographiquement, alors le monde s'avère vraiment *maya,* ou une apparence magique temporaire et donc illusoire, face à la permanence du réel. Ce qui revient à dire que toutes les philosophies et les manières de vivre issues d'un matérialisme grossier se basant sur la seule réalité de la forme et de la matière sont le fruit de la plus vaste supercherie qui soit !

David Bohn — disciple d'Einstein — était parvenu à des réflexions semblables. Il décrivait, dans certains de ses principaux articles appelant un nouvel ordre en physique, un univers holographique. À ses yeux, ce qui apparaît comme un monde stable, tangible, visible, et audible est une illusion. Si la matière est dynamique, éphémère, kaléidoscopique, mouvante, elle ne peut pas être réelle.

En réalité, le monde est bien réel, mais il est transitoire. Au-delà de ce monde de passage existe un ordre sous jacent, matrice d'une réalité supérieure. L'aspect éphémère de la matière en tant que découverte de la physique d'avant garde, se trouve de nouveau confirmée par les Écritures védiques (Gita 8.20) :

paras tasmat tu bhavo nyo
'vyakto 'vyaktat sanatanah
yah sa sarvesu bhutesu
nasyatsu na vinasyati

« Sans fin, jour après jour, renaît le jour, et chaque fois des myriades d'êtres sont ramenés à l'existence. Sans fin, nuit après nuit, tombe la nuit, et avec elle, dans l'anéantissement, sans qu'ils n'y puissent rien. Il existe cependant un autre monde, lui éternel, au-delà des deux états, manifesté et non-manifesté de la matière. Monde suprême, qui jamais ne périt; quand tout en l'Univers matériel est dissout, lui demeure intact. »

Or, le son non matériel du *shabda* qui désigne la conscience absolue détient le pouvoir d'amener l'être conditionné au centre même de cette invisible réalité, qui existe en permanence au-delà des perceptions sensorielles physiques, mentales et intellectuelles.

Une expérience unique, écologique

Le son possède la clé des mystères de la vie, de la création et du maintien de l'univers. La vibration sonore est également perçue comme le meilleur moyen de se dégager du conditionnement et de l'esclavage matériels. À travers les âges, les philosophes ont montré comment l'entité vivante se trouve dans un état semblable au sommeil. Le meilleur moyen d'éveiller quelqu'un est de l'appeler par son nom jusqu'à ce qu'il sorte du sommeil. Dans ce contexte, l'analogie du dormeur réveillé par le son de son nom garde tout son sens puisque celui qui est ensorcelé et empoisonné par le somnifère de l'impermanence peut être éveillé à l'éternelle réalité par les sonorités «transcendantales». Celles-ci peuvent être entendues à travers l'écoute et le chant des injonctions sacrées *(shabda-brahma)* où de toutes autres Écritures révélées, comme par exemple le *Chilam-Balam,* le «Livre des livres», le joyau sacré des peuples pré-colombiens. Ces activités sont aptes à faire vibrer le *shabda* intérieur de l'être vivant et à le délivrer des blocages qui le retiennent dans les limites du monde physique.

srnvatam sva-kathah krsna punya-sravana-kirtanah

« L'Infiniment Fascinant se tient dans le cœur de chaque être sous la forme de l'âme suprême ; Il purifie de tout désir physique le cœur où s'est développé un vif désir d'entendre son message ». (*Srimad Bhagavatam* 1.2.17)

Le son trancendantal, le message de l'être essentiel contenu dans le *shabda-brahma* n'est en rien différent de la vérité universelle. Ainsi, chaque fois qu'on écoute ou rapporte cette vibration sonore, l'âme du Dieu interne manifeste sa présence personnelle sous la forme du son qui renferme toute sa puissance. Cette puissance est seule capable de purifier l'être intime de toutes ses entraves.

Le mieux-être qui ne manque pas de suivre représente une expérience unique, inoubliable et profondément initiatique.

Ce *shabda-brahma* purificateur, on le retrouve dans toutes les grandes révélations qui visent le réveil et l'élévation de l'âme humaine.

Que ces révélations bienfaisantes soient issues d'une civilisation orientale, occidentale, lémurienne, égyptienne ou atlante est sans aucune importance, vraiment. Ce qui compte, ce sont les connaissances qu'elles portent ; connaissances universelles, pratiques et utiles en ce qui concerne la guérison radicale et sans compromis des plaies environnementales et psychologiques causées par les erreurs planétaires des adeptes de l'exploitation matérielle à n'importe quel prix.

Il est nécessaire et urgent que l'expérience unique de la vibration sonore spirituelle soit vécue partout dans le monde car cette expérience déclenche un changement profond dans le cœur des individus. Par ce processus, l'homme barbare, retardataire, développe graduellement sa conscience d'être humain et reprend contact avec la personne vivante qui le porte — la Terre-Mère. Il reprend alors conscience qu'il est irrémédiablement relié aux océans, aux forêts, aux fleuves, aux montagnes et aux plaines. Il comprend que chaque blessure qu'il inflige à la Terre, et aux êtres qui vivent sur la Terre, se retrouvent indéniablement tatouée dans son âme et son corps, à l'encre de la guerre, de la famine et des catastrophes écologiques. Dès lors, il devient l'adulte solaire et cesse de se lamenter et de s'auto-détruire.

Guérison par le mantra du soleil

Toutes les forces mantriques représentent un appel. En d'autres termes on se sert de ces formes sonores pour obtenir quelque chose. Parfois, ce sont des sons qui agissent directement sur la matière ; d'autres fois, le mantra est adressé à la déité-force qui préside un élément physique particulier. Le mantra *om ghrami suryay namah* par exemple se chante lorsqu'une grave maladie apparaît. Il se pratique alors que le soleil est à moitié levé. Le patient se tient debout face aux rayons solaires, en tenant dans la main droite un pot de cuivre rempli d'eau pure. Il offre alors l'eau au soleil et chante trois fois le mantra. Ensuite, il est recommandé de reciter ce mantra autant de temps qu'on le désire, jusqu'à la guérison.

Ce rituel de purification est mentionné dans un recueil très ancien intitulé « *Aditya Hriday* », donné en sanskrit par Krishna à l'un de ses fils, Samb, qui était alors atteint d'une maladie incurable. Au bout de quelque temps, Samb guérit. L'histoire de ce mantra très particulier m'a été rapportée par le fameux Ramesh Chandra Jyotishi, astrologue de Vrindavan, (Indes) qui porte également le nom de Mauna Baba.

Il existe des mantras pour tous les besoins. Certains apportent la richesse, d'autres la protection ; d'autres encore, la santé. La liste est infinie et il existe autant de possibilités mantriques qu'il y a de désirs dans le cœur des hommes. Pourtant, nous allons voir que les mantras les plus libérateurs sont ceux qui sont diamétralement opposés aux demandes du « moi ». Il s'agit de mantras qui ne représentent pas des requêtes mais qui, reçus par le processus de la succession disciplique, sont formés des Noms révélés du Dieu Interne, sous ses multiples aspects d'Être Absolu, et qui se chantent de façon tout à fait spontanée.

Une pure lumière d'amour

De tous les mantras connus, les « mantras des Noms » sont les plus puissants car ils sont auréolés d'une pure lumière d'amour, et l'âme qui les chante n'attend rien en retour. Les réciter est un acte gratuit, dévotionnel. Le chant des Noms n'est pas le résultat d'un calcul quelconque, d'un « commerce » avec les forces divines. Ces mantras correspondent à un sentiment spontané qui jaillit des profondeurs du cœur.

Tous les grands penseurs en visualisation et en affirmation créatrice sont unanimes pour dire que la parole est d'autant plus puissante et efficace qu'elle est prononcée non pas dans un état d'esprit de manque, d'imploration ou de sollicitation mais bien comme un remerciement, en sachant qu'on a déjà reçu.

Un chant d'allégresse d'une puissance inconcevable

Souhaiter ou réclamer la santé, par exemple, donne la preuve au subconscient que le corps ne la possède pas et que par conséquent, elle nous manque. Or, en aucune manière le manque ne peut créer le plein. **Un manque entraîne indubitablement un plus grand manque.** Comme le succès entraîne le succès, la sensation de vide ou de l'absence de quelque chose provoque réellement un état de vide. Similairement, les ondes vibrantes qui irradient d'un sentiment de peur attirent immanquablement les événements qui sont à l'origine de ce sentiment. Avoir peur de quelque chose est le meilleur moyen pour que l'événement redouté se manifeste. **Sentir la réalité d'une circonstance attire infailliblement cette même réalité.**

La véritable affirmation créatrice positive n'est donc pas une demande ou une question, mais bien une réponse correspondant à un sentiment de plénitude.

Dans la pratique des Noms sacrés, la même loi agit. C'est pourquoi le chant du Nom n'est pas une prière, car une prière comprend le plus souvent une pétition. On réclame la satisfaction d'un désir, on implore quelque chose. En opposition à cet état de solicitation, le mantra du Nom est libre. Sans supplique, il procure une joie sans limite, inexprimable par le langage humain. L'âme qui pratique un tel chant — quel que soit le Nom particulier vers lequel elle se sent attirée, et s'il y a lieu, quel que soit le système de pensée qui l'inspire — n'exige rien, n'implore rien, ne mendie rien, ne requiert rien. De ses lèvres sort uniquement un chant d'allégresse qui ne commande ni n'ordonne. Le seul désir qui reste encore est le désir de demeurer dans la présence extatique du Nom, car la vibration de lumière vivante n'est absolument pas différente de Son Nom. Grâce à cette non-différenciation qui les rendent inséparables de l'absolu, les Noms sacrés sont les dépositaires de puissances spirituelles inconcevables.

Un état de non-différenciation

Au niveau physique et dans un sens matériel, le nom est différent de la forme. Le langage — cette fonction d'expression de la pensée et de communication entre les hommes — n'est en effet qu'une simple représentation symbolique. Les signes vocaux et les signes graphiques représentent tel ou tel objet ou personne, mais n'incarnent pas la réalité qu'ils cherchent à évoquer, imiter, ou bien remplacer. Nous avons vu qu'ils servaient à construire des « ponts » de résonances harmoniques entre la personne qui les prononce et les objets ou les êtres qu'ils représentent. Ce sont, si on peut dire, les ambassadeurs de la réalité, mais ils n'en sont que les symboles. Le mot eau « n'est » pas l'élément eau ; il ne fait que nous y relier harmoniquement.

Dans le domaine des Noms sacrés au contraire, le symbole incarne la réalité. C'est pourquoi selon la pensée védique, le Nom divin est l'incarnation sonore du principe divin. On trouve des informations précieuses sur sa souveraine efficacité dans toutes les Écritures saintes, telles que la Bible, le Coran, la Torah, etc. Mais c'est probablement dans les *Védas* que les références aux multiples fréquences Absolues sont encore les plus nombreuses et les plus précises.

Ainsi, la manière dont, dans leur état de non-différenciation ils manifestent une énergie unique, est expliquée dans le *Padma Purana* :

> « Les Saints Noms procurent aux âmes qui les chantent une joie sans limite. Ils accordent toute bénédiction spirituelle, car ils sont Dieu Lui-même, le réservoir cosmique du plaisir ultime. Ces Noms sont complets en eux-mêmes, et représentent la forme parfaite de toute paix et de toute maturité transcendante. Ils ne correspondent pas à un son ou à un nom matériel sous quelque condition que ce soit, et ils ne sont pas moins puissants que la Source de toutes les énergies cosmiques. N'étant pas souillés par les vibrations matérielles, ils ne sont jamais impliqués dans les jeux de l'illusion. Libres et absolus, ils ne sont jamais conditionnés par les lois de la nature physique ».

Des sons qui proviennent d'un autre monde

Le célèbre poète vaishnava du XVIIe siècle, Narottam, qui pratiquait le chant du Nom, a écrit :

golokera prema-dhana hari-nama sankirtana

« Les vibrations sonores transcendantales n'ont d'autre origine que le monde de non-matière, le royaume spirituel ».

Deux cents ans plus tôt, l'avatar Chaitanya chantait dans les couplets de son « *Shikshastak* » :

> « O Intelligence sublime, Tes Noms innombrables sont investis de toute bonne fortune pour les entités vivantes de l'univers. Des noms, Tu en possèdes un nombre illimité et par eux, Tu T'expands à l'infini. De plus, chacun de ces Noms est chargé d'une énergie spécifique toute-puissante ».

Les différentes fréquences sonores par lesquelles est appelée la réalité cosmique ne sont donc pas composées de syllabes ou de sons ordinaires. Ce sont des sons qui proviennent de l'autre monde, d'un monde qui se situe au-delà de l'atmosphère matérielle. Toutefois, la nature divine du Nom sacré demeure un mystère total pour l'âme qui l'approche uniquement par la logique et l'argumentation intellectuelle. Seule l'entité qui a la possibilité de dépasser tout concept et tout préjugé, et qui s'engage directement dans la pratique du chant dans un état d'esprit simple, sans dédain ni orgueil, mais avec confiance et amour, pourra comprendre et goûter pleinement l'extase du son suprême. Les ondes radio invisibles voyagent d'un endroit à un autre, et peuvent être entendues quand un récepteur électronique les reçoit. De la même manière, les ondes spirituelles peuvent être perçues et assimiliées par l'être équipé des qualités adéquates pour les recevoir : la paix de la conscience, et l'ouverture du cœur au pur amour. En outre le sentiment d'un besoin de libération et **le goût de l'expérimentation** seront de précieux atouts pour la personne qui s'engage sur cette voie.

À l'instant de quitter le corps

La Bible des chrétiens, le Coran des musulmans, la Torah des juifs, le Véda des Hindous et tous les livres qui apportent la lumière à l'humanité sont au moins unanimes sur un point majeur : le prinicipe divin — quel que soit le Nom, l'Aspect ou les Actes qu'on Lui attribue — est la source de toutes les entités. L'être vivant est donc le sous-produit d'une semence toute-puissante quelle que soit la culture, la tradition, la religion ou la région du monde auxquelles il s'identifie dans cette vie présente. En outre ce « sous-produit » possède le même potentiel qualificatif que son créateur. Le maître Jésus affirme cette vérité depuis 2 000 ans :

« Soyez parfait comme votre Père Céleste est parfait ».
(Évangile selon Saint-Matthieu — 5. 48.)

Le *Véda* nous enseigne clairement que l'être vivant est à la fois un avec le Père universel et simultanément différent de Lui *(achintya — bhedabheda — tattva)*. En tant que partie et parcelle du tout complet et absolu, l'étincelle spirituelle divine, en possède exactement les mêmes qualités. L'éternité *(sat)*, la conscience *(chit)* et le bonheur *(ananda)* sont donc l'héritage surnaturel de toutes les entités. L'unique différence entre l'Âme Cosmique et l'étincelle infinitésimale est quantitative, bien qu'au niveau absolu tout soit un en essence.

Depuis des temps immémoriaux, l'être choisit d'expérimenter toutes sortes de situations dans le but de diriger et de contrôler la création selon son bon vouloir et son bon plaisir. C'est la raison pour laquelle il revêt un corps physique qui lui sert de véhicule pendant quelques années terrestres. Après quelque temps, ce corps éphémère retourne aux éléments et par conséquent, l'être vivant le quitte pour en réintégrer un nouveau ; les formes et les qualités de ce nouveau véhicule de chair étant déterminées par les activités, les désirs et souvenirs emmagasinés durant la vie de l'âme dans le corps précédent. À ce sujet, la deuxième section de ce texte unique qu'André Malraux disait composé de paroles divines, la *Bhagavad-Gita,* est, encore une fois, on ne peut plus précis :

> « À l'instant de la mort, l'âme prend un nouveau corps aussi naturellement qu'elle est passée, dans le précédent, de l'enfance à la jeunesse, puis à la vieillesse. Ce changement ne trouble pas qui a conscience de sa nature véritable. Sache que ne peut être anéanti ce qui pénètre le corps tout entier. Nul ne peut détruire l'âme impérissable. Seuls les corps qu'elle emprunte sont sujets à la destruction. L'âme ne meurt pas avec le corps. Vivante, elle ne cessera jamais d'être. À l'instant de la mort, elle revêt un nouveau corps, l'ancien devenu inutile, de même qu'on se défait de vêtements usés pour en revêtir de neufs ». (*Bhagavad-Gita* 2.13.22)

Et au sixième verset de la huitième section du même texte, on trouve l'information fondamentale suivante :

yam yam vapi smaram bhavam
tyajaty ante Kalevaram
tam tam evaity Kaunteya
sada tad bhava-bhavitah

« Ce sont les pensées, les souvenirs de l'être à l'instant de quitter le corps qui déterminent sa condition future ».

Il est donc possible de modifier sa condition au moment critique de la mort physique. La question est de savoir comment quitter son corps, c'est-à-dire « mourir », dans la condition mentale voulue. Nos pensées à l'instant de la mort sont principalement déterminées par la somme des actes et pensées de notre vie entière. Ces actes et pensées sont eux-mêmes déterminés par l'écoute et le chant des paroles, des musiques et de toutes les ondes sonores qui imprègnent constamment notre subconscient. **Ce sont les vibrations sonores que l'on perçoit dans le présent qui décident de notre condition future !** Ainsi, spirituellement absorbé dans l'illumination intérieure au cours de cette vie par l'écoute des Noms sacrés et de la Mùsique Pure Universelle, nous pourrons acquérir en quittant notre enveloppe charnelle actuelle, un corps spirituel, éternel, conscient et heureux d'une structure moléculaire différente.

L'écoute des vibrations sonores sacrées reliées aux Noms divins est donc le moyen le plus simple d'atteindre à un plan d'existence supérieure.

La pire des erreurs

Hypnotisé et étroitement conditionné par l'atmosphère de matière, l'être vivant baigne littéralement dans un monde de rêves et d'illusions qui ne sont jamais le fruit d'un soi-disant hasard, mais qui au contraire sont à la mesure de ses propres inclinations, de ses propres pensées et souvenirs. Cette condition hypnotique de mort et de renaissance *(samsara)* correspond d'une part, pour l'être vivant à l'oubli de la source originelle — et d'autre part à un état de torpeur chronique dans laquelle l'âme est graduellement tombée, en perdant, de renaissance en renaissance, conscience de son inhérente sérénité, de son éternité constitutionnelle et de sa prodigieuse origine céleste. Cet état de torpeur, comparable au sommeil profond, est à l'origine du drame des civilisations et des empires matérialistes qui, par pure ignorance de la réalité, basent leur connaissance sur l'observation sensorielle imparfaite, leur équilibre monétaire sur une interprétation totalement inconséquente des richesses de la Terre, et leur bonheur sur une excitation des sens laborieuse, ingrate et dangereuse.

Cette manière de vivre s'avère très risquée. En effet, face aux lois qui régissent l'univers, ces sociétés ne peuvent jamais bénéficier de circonstances atténuantes, et elles sont irrémédiablement balayées par les vagues du temps. C'est ainsi que régulièrement, les civilisations athées, **c'est-à-dire désaccordées par rapport aux harmoniques fondamentales de l'univers**, disparaissent de la surface du monde tant elles s'éloignent des véritables valeurs de l'existence. Ces chutes et ces destructions des grands empires matérialistes, qui font malheureusement l'histoire du monde, correspondent au grand sommeil de l'âme conditionnée qui s'attarde douloureusement à rechercher la vie sur des voies qui ne mènent qu'à la mort.

Vouloir acquérir le bonheur en s'engageant dans des activités qui ne visent que la satisfaction du corps et du mental s'avère être pour l'âme spirituelle la pire des erreurs. Il est urgent de comprendre que le monde ne peut survivre qu'en s'éveillant à la vérité de l'âme. Toute autre considération, fut-elle économique ou politique, ne présentera qu'un intérêt mineur et entraînera la planète encore plus loin dans l'obscurantisme, la guerre, la sauvagerie et finalement, l'annihilation.

Éveiller celle qui dort

Si l'on considère un poisson hors de l'eau, aucun objet, aucune situation ne peut pleinement le satisfaire. La seule chose qui puisse réellement le combler sera de retourner dans son élément : l'eau. Similairement, rien n'est plus apte à parfaitement satisfaire l'être vivant en dehors de la vibration sonore spirituelle, qui est véritablement son éternel élément. L'âme individuelle est une parcelle de l'âme universelle; sa position cosmique consiste donc à vivre, à aimer et à œuvrer spontanément en harmonie avec l'ensemble de la galaxie. Toutefois l'état de sommeil chronique dans lequel elle a sombré l'en empêche. Chacun a donc pour mission d'éveiller en lui cette merveilleuse étincelle qui dort depuis si longtemps. Tel est le véritable but de nos vies humaines avant que les rêves et les illusions ne nous emportent vers des conditions d'existence encore plus difficiles.

On reconnaît universellement que le son a le pouvoir de sortir du sommeil et d'éveiller la conscience. Qui n'a pas expérimenté la sonnerie d'un réveille-matin? Dans le même ordre d'idée, l'âme endormie dans le lit du monde physique peut être éveillée à la vie réelle par la vibration sonore spirituelle. Celle-ci est principalement présente dans le son des Noms sacrés qui désignent le principe cosmique essentiel. Elle s'y trouve enfouie, cachée, et un des moyens de la percevoir est de partir à sa recherche par la pratique de l'écoute et du chant de ces Noms fabuleux.

Chaitanya enseignait il y a 500 ans :

namnam akari bahu-dha nija-sarva-saktis

« La vibration sonore de Ton Nom peut seule, ô Seigneur, combler l'âme de toutes les grâces. Or des noms sublimes, Tu en possèdes à l'infini, investis de toutes tes puissances spirituelles; pour les chanter, aucune règle stricte ».

La haute réalité du son intérieur

Ce n'est pas nouveau. L'illustre Gitopanishad mentionne depuis des milliers d'années le caractère sacré du chant et de l'écoute des Noms divins :

« Parmi les vibrations du son, Je suis om, la syllabe absolue, et parmi les moyens de réalisation spirituelle, Je suis le japa, le chant des Noms sacrés ».

(Gita. 10 — 25).

La Bible elle-même enseigne :

« Quiconque appelera le Nom du Seigneur sera sauvé ».

(Actes)

Les Psaumes donnent le moyen par lequel l'âme se libère des contingences matérielles :

« Que les fils de Sion louent le nom de Yahvé par la danse et le chant ».

Cette vibration sonore divine qui supporte le pouvoir d'éveiller l'âme endormie, c'est l'éternel *shabda-brahma*. Originellement, le *shabda-brahma* se compose des noms, des actes, des attributs et des qualités de la plus haute réalité. Le *shabda* est, nous l'avons vu, le son intérieur originel. C'est cette vibration non-matérielle qui jouit du pouvoir de libérer les forces dormantes, tapies en nous depuis l'aube des temps. Nous sommes tous les héritiers et les dépositaires de ces énergies subtiles. Le réveil de ces énergies peut se manifester au moyen de cette force occulte. Ainsi réveillées, nos énergies subtiles désenchevêtrent les centres de nos corps éthérés et dénouent les points électro-magnétiques, rendus stériles et inertes par suite d'un art de vie en désaccord avec le rythme de l'univers. La vibration sonore spirituelle fait vibrer en sympathie tout l'intérieur de l'être, et cette force unique est capable de guérir des maladies inhérentes au royaume de l'illusion.

Un chant empli de paix

« Il faudra que l'être humain apprenne à se servir du son, s'il veut participer d'une manière quelconque à l'œuvre divine. La première manifestation magique sera donc l'incantation. Le prêtre — quelle que soit la forme religieuse à laquelle il appartient — devra être le prêtre « juste de voix » de l'Égypte, ou le chanteur de l'Inde, ou le héros solaire des mythologies, le grand Hermès dont le chant faisait venir vers lui les fauves ivres de joie ».

C'est ainsi que s'exprime Anne Osmont dans son ouvrage intitulé *Le rythme, créateur de forces et de formes.*

Un des plus beaux fruits de la musique de l'âme consiste à apaiser la crainte et la colère. Quelle que soit notre appartenance culturelle ou idéologique, notre « chant » — lorsqu'il sonne juste et vrai — détient le mystérieux pouvoir de transformer un fauve en un être plein de douceur et d'amour. Il est essentiel de réaliser que la force que l'on projette dans le chant, dans le son, dans la parole et dans la musique entre, pour une grande part, dans la réalisation de l'œuvre divine, car celle-ci s'appuie sur l'onde musicale. Le mode d'expression, la motivation du chanteur, sont essentiels pour obtenir un effet sensible. La pacification humaine et universelle est le chant sacré en lui-même, **lorsqu'il est porté par l'intention du chanteur.** La formule chantée peut alors libérer toute sa force et toucher non seulement les choses extérieures, mais également les rythmes intérieurs de l'univers matériel ou céleste. À ce niveau de compréhension, le son devient une vibration comparable à une sorte de magnétisme agissant sur la nature secrète des êtres, beaucoup plus efficacement que sur les organes visibles. De là vient également la puissance des mantras. Le chant incantatoire, rythmé et chanté, se « charge » de l'intention de celui qui le fait vibrer. À ce moment, il devient irrésistible.

Le *Gandharva Véda,* le livre du chanteur céleste, est un véritable traité du chant sacré et de la musique magique, et plusieurs de ses chants peuvent conduire l'adepte jusqu'à certains états d'extase. Pour exprimer leur puissance, l'histoire raconte que Ravana — le magicien qui sut enlever Sita à Rama mais ne put la séduire, parce que le véritable amour est une magie infiniment plus résistante que toutes les autres — avait encouru par son audace la colère de Shiva. Un seul des regards de Shiva pouvait réduire en poussière le présomptueux magicien. Ravana se rappela soudain le « chant qui apaise la colère » et, ayant évoqué ce véritable chant des sphères il fit entrer la paix et l'amour inconditionnels dans le cœur du dieu irrité, obtenant ainsi son pardon.

Des sons qui calment les tigres

Il suffit de relâcher la tension des muscles, de respirer profondément et, en visualisant une image paisible, de répéter lentement le mot *Shanti* (paix), précédé et suivi de la syllabe **om**, pour réellement sentir la plus merveilleuse des sensations : la paix.

Dans le *Sri Chaitanya Charitamrita* de Krishnadas Kaviraj Goswami, on peut lire l'histoire du grand saint Mahaprabhu qui, à l'instar d'Hermès et du pouvoir tranformateur de sa lyre, pouvait charmer les fauves par le seul son de sa voix. Le texte raconte qu'un jour Mahaprabhu traversait la jungle de Kataka, au Bengale, complètement absorbé par le chant du mantra aux 32 syllabes (le mantra de l'ancien *Purana,* composé des Saints Noms Krishna, Rama et Hare). Attirés par le son de sa voix, les nombreux tigres dont la jungle était à l'époque infestée, l'entourèrent mais sans lui faire le moindre mal. Lorsque Balabhadra Bhattacharya — le compagnon de Mahaprabhu — le vit toucher un des tigres du pied, il en fut pétrifié de terreur. Mais l'attitude du tigre le surprit encore plus. Le fauve se leva sur ses pattes arrières et se mit à rugir de bonheur. Il commença ensuite à danser au rythme du mantra, ensorcelé par la douce voix de Mahaprabhu.

Dans toutes les civilisations, dans toutes les initiations, nous trouvons cette certitude que le son — et en particulier le son absolu des noms qui désignent la Puissance divine — représente la plus puissante des énergies transformatrices que l'on connaisse dans la création.

Dieu sous forme sonore

L'anecdote qui précède, montre à quel point le mantra aux 32 syllabes (appelé également *maha-mantra,* ou grand mantra) peut être puissant — Les anciens *Puranas* décrivent en fait ce mantra comme étant « Dieu sous forme sonore » au même titre que la vibration A.U.M. Il n'est donc pas étonnant que, chanté avec un cœur parfaitement pur, il ait le pouvoir de faire danser les fauves. Le chant de ce mantra est si puissant qu'il irait jusqu'à pénétrer l'ouïe des arbres et des plantes ! Que dire alors des animaux et des êtres humains...

L'histoire du maître Haridasa raconte qu'il lui fut demandé comment les arbres et les plantes pouvaient être délivrés de la contingence matérielle. Haridasa répondit que le chant à haute voix du *maha-mantra* apporte non seulement un inestimable secours aux êtres conditionnés par une forme de vie végétale, mais qu'il fait également du bien aux insectes et que tous les êtres vivants peuvent en profiter. Le pouvoir spécial du *maha-mantra* provient de son origine céleste. Cette catégorie de Hautes Vibrations Sonores est apportée sur la Terre régulièrement depuis des milliers d'années par des Entités venues des sphères de l'invisible.

Il en est ainsi pour le nombre illimité des diverses révélations audibles (Christos, Allah, Bouddha, Yaveh, Adonaïs etc...) connues sur Terre. Il est bien évident que dans d'autres endroits de l'univers, ces fréquences sonores sont distinctes de celles connues sur Terre. Ces disparités sont causées par la diversité des langages et par les perceptions plus ou moins précises des réalités divines. L'entité céleste ou l'envoyé spécialement mis en pouvoir qui se manifeste dans une culture particulière transmet la vibration sonore spirituelle à une entité conditionnée par les modes de la matière. Cette entité s'en trouve graduellement purifiée et transmet elle-même la révélation audible à d'autres entités. C'est ce qui est appelé système de succession disciplique ou *parampara*. Ce système est apte à réveiller l'incommensurable énergie de la fréquence primordiale qui se trouve en chacun de nous. La seule condition pour en libérer toute la puissance est de l'entendre, de la chanter ou de s'en souvenir avec une grande pureté de cœur et de n'avoir aucune motivation d'ordre matériel.

Une multitude de noms pour une même essence

Dans un ouvrage intitulé *Sri Chaitanya-Shikshamrita* (L'Enseignement sublime de Sri Chaitanya), Srila Bhaktivinode Thakur — un des plus grands philosophes de l'Inde — explique clairement de quelle manière les différences superficielles qui existent entre les multiples Noms sacrés des grands systèmes religieux n'ont en fait aucune espèce d'importance. Selon Bhaktivinode, bien que la nature humaine soit la même partout, les peuples qui vivent dans des pays et sur des continents différents acquièrent diverses caractéristiques secondaires. **Impossible de trouver en ce monde deux peuples qui aient la même seconde nature.** Si chez deux frères nés du sein de la même mère, nous observons des divergences de personnalité et d'apparence, il est alors tout à fait naturel de noter une disparité entre les hommes nés en différentes régions du globe.

Dans ces contrées, des phénomènes comme la localisation des emplacements d'eau, les mouvements de masses d'air, les montagnes, les forêts, et la quantité disponible de toutes sortes de nourritures et de vêtements montrent tous un aspect fort varié. En conséquence, certaines différences apparaissent naturellement dans la physionomie, la position sociale, l'activité, la musique, la religion, la manière de se vêtir et de se nourrir. Chaque nationalité ayant une disposition d'esprit particulière, les diverses conceptions de la réalité sembleront superficiellement opposées, **bien que de même essence.** Ce qui paraîtra opposé (sans l'être vraiment) sera le nom par lequel chaque nation, chaque peuple déterminera le principe divin universel.

Alors qu'en différents endroits, des peuples s'éveillent de leur condition primitive et graduellement développent culture, science, lois et dévotion envers la substance universelle, leur adoration diverge également dans le vocabulaire, les costumes, la nature de l'offrande, la musique et l'attitude intérieure. Toutefois, si nous considérons toutes ces apparentes disparités d'un point de vue impartial, nous ne rencontrons aucune contradiction ni aucun mal, aussi longtemps que l'objet d'adoration reste le même. Il convient donc d'exécuter dans le mode de la pure vertu notre chant méditatif inspiré, ou notre chant mantrique, **sans jamais ridiculiser les codes de méditation d'autrui.**

Pourquoi un chrétien devrait-il faire la guerre à un musulman ? Pourquoi un bouddhiste devrait-il juger un hindou ? Tous les humains sont des chercheurs dans l'immense cosmos, et ils pressentent la même Énergie simultanément et inconcevablement à la fois personnelle et impersonnelle. Ils devraient donc unir leurs efforts, leurs témoignages et leurs recherches. Sous l'influence des facteurs mentionnés plus haut, les systèmes d'élévation de la conscience mis en aplication dans le monde se distinguent par 5 grandes différences :

1) différents maîtres spirituels
2) différents états émotifs liés à la méditation
3) différents rituels
4) des affections et activités différentes à l'égard de l'objet sur lequel on se concentre
5) des terminologies et appellations différentes, résultant de la diversité des langues.

Suivant la variété de guides et de textes révélés, en certains endroits les hommes honorent les sages de la culture védique, en d'autres lieux ils révèrent Mahomet et ses prophètes, alors qu'en d'autres régions encore ils s'attachent aux personnes saintes qui suivent l'enseignement de Jésus. Similairement, chaque localité montre un respect particulier pour divers grands philosophes. Chaque communauté devrait bien sûr honorer correctement ses propres maîtres spirituels, ses propres guides, ses propres professeurs, **mais personne ne doit essayer de prouver la supériorité des instructions de son maître, sous prétexte d'acquérir de nombreux partisans.** La propagation de telles positions antagonistes serait désastreuse ! Les rites prescrits, en ce qui concerne l'adoration, varient selon la mentalité et les sentiments dévotionnels de la personne. Dans certains endroits, le spiritualiste s'assied en un lieu de pouvoir, pratique le renoncement et le contrôle du souffle. Ailleurs, il se prosterne cinq fois par jour dans la direction du tombeau de son maître afin d'offrir ses hommages sans se soucier de la situation dans laquelle il se trouve. Ailleurs encore, il s'agenouille dans le temple ou dans sa maison et, les mains jointes, admet être une âme indestructible et glorifie le principe divin.

Chaque type d'adoration diffère dans le vêtement, la nourriture, la propreté, etc... En outre, le sentiment et la conduite envers l'Objet adoré varient selon les religions. Certains dévots, la conscience saturée de dévotion, installent une forme de Dieu dans leur cœur, leurs pensées ou sur un autel. D'autres processus, plus enclins aux arguments de la logique, rejettent l'image externe complètement ; l'aspirant doit alors créer une conception de la Cause Ultime dans son esprit et l'adorer. Néanmoins, nous devons savoir que **toutes** les Déités ou « Objets » concrets, abstraits, visibles ou invisibles qui sont décrits dans les diverses Écritures, sont en réalité d'authentiques représentations de l'Absolu.

Il est surtout important de saisir que différents langages donnent à l'Absolu des noms variés. Les systèmes religieux portent aussi divers noms et possèdent pour chaque objet de culte une dénomination appropriée. Du fait des cinq grandes différences citées plus haut, les nombreuses religions du monde se sont développées de façon très distincte les unes des autres. **Il ne faudrait pourtant pas que naissent de ces divergences de mutuels désaccords, car cela entraînerait un véritable désastre.**

La vérité est une

Si nous nous trouvons, à l'heure de la prière, dans le temple d'un groupe religieux différent du nôtre, nous devrions penser : « Ici, l'Absolu est adoré dans une forme nouvelle ; Il est appelé par un Nom autre que celui que je connais. Il n'est pas obligatoire de prendre part à ce rituel ; mais cette scène fait naître en moi un sentiment plus intense pour ma propre méditation. **La vérité absolue est Une.** J'offre donc mes hommages à la Forme que je vois ici et je prie l'Infini (d'où cette « Forme » est issue) que cette Déité particulière m'aide à accroître mon amour pour lui. »

Ceux qui n'agissent pas de cette manière mais montrent de la malice, de l'envie, ou ridiculisent d'autres processus méditatifs, dévient certes de la vraie spiritualité, manifestant ainsi leur manque de vision universelle. Lorsque de telles personnes auront réellement élevé leurs fréquences vibratoires par un processus ou par un autre, elles ne seront plus attirées par ce genre de querelles inutiles. Le pur amour *(Prema)* incarne en fait l'éternelle religion de l'âme spirituelle *(sanatan-dharma),* et donc malgré les cinq grandes distinctions qui différencient les religions du monde, **nous devrions reconnaître comme véritable, tout processus de purification et d'accélération dont le but est d'atteindre la dévotion pour tous les aspects du Divin *(Bhakti).***

Inutile de se quereller pour un nom ou pour de puériles dissimilitudes. La valeur d'une méthode de réalisation du Soi ne se «juge» qu'à la pureté du but à atteindre. À la lecture des pensées de Bhaktivinode Thakur, on saisit toute la futilité, toute l'extrême ignorance et toute la formidable hypocrisie qui mènent les hommes à s'entre-tuer au nom d'un Dieu particulier! On comprend une fois pour toutes que les prétendues guerres de religion ne sont en fait que des guerres de pouvoir, des guerres de profit, dirigées par la seule cupidité et la seule sauvagerie de quelques retardataires **déguisés en religieux** et qui, malheureusement, trouvent encore de nos jours des êtres sans scrupules pour les suivre...

Tenter l'expérience du Nom Universel

Il n'y a par ailleurs nul besoin d'adopter une religion officielle pour progresser spirituellement, ou pour pratiquer le chant des Noms de puissance. Il se peut que pour certains, pour qui le terme «révélé» ne veut strictement rien dire, aucune Écriture n'ait une quelconque résonance et que le mot latin *religare* — (se relier à l'Absolu) — demeure encore énigmatique. Pour plusieurs, Dieu est mort ou est une abstraction, un rêve, une utopie. Ne rencontrant pas d'*acarya* (maître vivant qui ne «prêche» que par l'exemple) suivi par leur famille ou par leur entourage immédiat, ils ne se sont pas donnés la peine de chercher plus loin et ont simplement accepté, **sans investigation personnelle,** les idées matérialistes proposées par la majorité. Sans trop savoir pourquoi, ils en sont arrivés à la conclusion qu'un pouvoir surnaturel omniprésent ne pourrait exister dans un monde où sévissent la guerre, les ténèbres et la haine.

Un extra-terrestre qui atterrirait au milieu d'un désert, n'apercevrait aucune trace d'eau et pourrait commettre le même genre d'erreur en arrivant à la conclusion que l'élément eau ne peut exister sur la Terre. Les calamités et les malheurs de la création n'impliquent pas nécessairement la non-existence d'un créateur. **Le bonheur ou le malheur des hommes n'est que la juste récompense de leurs paroles, de leurs actes, de leurs pensées et de leurs musiques.**

Quoi qu'il en soit, il ne s'agit pas de croire ou de ne pas croire, mais plutôt de faire, d'expérimenter, et de «goûter». Que le mot Dieu ait pour nous une signification ou n'en ait pas, il n'y a là aucune raison de changer notre manière de voir les choses. Le chercheur qui n'a pas encore expérimenter la révélation de la Présence Interne, peut aussi bien commencer l'œuvre de transformation à partir d'une simple supposition : la cause originelle devient alors une hypothèse de travail. N'est-ce pas, après tout, la méthode la plus couramment employée en science pure ?… Quelles que soient nos convictions, il est toujours possible de choisir une vibration sonore composée d'une des fréquences sacrées connues et de l'utiliser pour son propre bénéfice. L'important est de chanter le Nom, peu importe que ce mot appartienne à telle ou telle tradition. Il n'est même pas nécessaire de croire ou non en une Intelligence Supérieure pour tenter l'expérience du nom.

Installez-vous confortablement à l'écart, respirez profondément, détendez-vous. Laissez votre esprit circuler sans lutter contre lui, comme vous laisseriez couler l'eau d'une rivière, et simplement, naturellement, faites l'expérience du Nom. **Tout ce qu'il est nécessaire de faire, c'est d'écouter.** Des lèvres, le son passe dans l'oreille et descend dans le cœur. L'activité des sens et du mental semble alors s'arrêter et on expérimente un bonheur que le langage est incapable de décrire. On ressent une paix et une joie à la mesure de la beauté de la vie. On détecte la merveilleuse mélodie de l'amour vrai, et cette vibration primordiale a le pouvoir de nous libérer du cycle des morts et des renaissances en nous situant sur le chemin du retour vers la paix et la lumière. C'est aussi simple que cela !

Le nectar immortel

Nous l'avons vu, un mantra est une structure sonore dont les modulations recèlent un certain pouvoir. Souvent formé parmi les cinquante signes de l'alphabet sanskrit — le *dévanagari,* ou langage des dieux — le mantra permet au mental de connaître la concentration. La plupart des mantras utilisés pour la méditation sont choisis parmi les multiples noms qui désignent la source première. La répétition de tels mantras se nomme *japa.* De nombreux maîtres ont corroboré la science védique en précisant que le *japa* a spécialement été recommandé pour l'âge présent comme moyen efficace d'atteindre la réalisation du Soi.

harer nama harer nama harer namaiva kevalam
kalau nasty eva nasty eva gatir anytha

« Dans l'âge de Kali — celui que nous traversons actuellement — le chant des noms sacrés, le *japa,* représente la méthode, la technique véritablement utile pour atteindre l'illumination. » (Puranas)

En fait, le *japa* est appelé *yuga-dharma :* le moyen d'atteindre le salut, le devoir de tout être vivant *(dharma)* dans ce grand cycle cosmique particulier qu'est le *Kali Yuga.*

Chanter et écouter (le fameux *sravanam kirtanam*) est un moyen facile qu'à tout âge on peut pratiquer. Si nous n'éprouvons pas d'attirance particulière, ou si nous avons quelque préjugé pour un des Noms sacrés, nous pouvons choisir celui qui nous convient le mieux. Par exemple, si le nom Rama ou Krishna (l'Infiniment Fascinant et la Source de tous les plaisirs) nous incommode, pour une raison ou une autre, nous pouvons pratiquer le chant du nom du Christ ou Christos (la lumière), ou encore Allah (Al : sans commencement ; laah : sans fin) ou Jéhovah, Yahvé, Adonais ou Bouddha (l'Illuminé) etc...

En conséquence, même si nous sommes attachés à une désignation religieuse quelconque, si nous nous pensons hindous, chrétiens, bouddhistes ou musulmans, nous pouvons très bien nous engager dans la pratique du Nom tel qu'il est mentionné dans le message spirituel auquel nous sommes conditionnés par notre éducation, notre culture ou notre tradition. L'essentiel est de développer le souvenir de la divinité intérieure.

De même qu'il est possible d'apprendre les mathématiques dans n'importe quelle université, on peut développer l'amour de Dieu en pratiquant n'importe quelle voie authentique. Ainsi, le Nom en lui-même importe peu. L'important est de le chanter ou de l'entendre. Le chant et l'écoute permettent d'expérimenter la nature même du Nom. On goûte le nectar immortel. Aucun mot n'est digne de décrire cette expérience inoubliable. On peut, par exemple, écrire des pages sur la nature du miel, analyser les éléments qui composent cette substance, dire que le miel est sucré, doux, plein de saveur, etc. Mais aucune explication, aucun livre ni aucune conférence ne remplacera l'expérience directe. Il suffit de le goûter pour le «connaître». Similairement, la nature transcendante, spirituelle et absolue du Nom ne peut être connue autrement que par l'expérimentation directe. Il ne s'agit pas de croire, mais de faire. Il ne s'agit pas de juger, mais d'expérimenter. Il ne s'agit pas de spéculer, mais d'agir.

Il n'existe aucune barrière matérielle au chant du Nom. Un musulman peut chanter le nom d'Allah, un chrétien celui du Christ, un hindou celui de Rama, de Krishna, ou de Narayan, un bouddhiste celui de Bouddha. Il n'est pas non plus nécessaire d'être riche ou d'être pauvre, instruit ou ignorant. Cela ne coûte rien : le chant du Nom est gratuit. On peut le pratiquer partout, dans n'importe quelle circonstance, avec n'importe qui. Chacun peut le chanter et tirer de cette pratique universelle le plus haut bénéfice. Pour ce chant et cette écoute, nulle règle stricte. Maintes fois, le chant du Nom est recommandé dans les Écritures bibliques. Les Psaumes nous exhortent de le chanter et de le glorifier :

> « Toutes les nations que Tu as créées viendront devant Toi, ô Seigneur, et glorifieront Ton Nom. »

Les chroniques donnent également ce précieux conseil :

> « Célébrez Yahvé, invoquez Son Nom ; parmi les peuples, annoncez Ses hauts faits. Chantez-Le, jouez pour Lui ; méditez sur toutes Ses merveilles. Glorifiez-vous de Son Saint Nom. » (1 chroniques 16.8-10)

Dans le Nouveau Testament, Saint-Paul nous dit :

> « Il n'y a pas de distinction entre Juif et Grec ; tous ont le même Seigneur, riche envers tous ceux qui L'invoquent. Car quiconque invoquera le Nom du Seigneur sera sauvé. » (Romains 10.12-13)

Le grand maître Jésus, a le même message :

> « J'ai manifesté Ton Nom aux hommes, Saint-Père, garde-les dans Ton Nom que tu m'as donné, pour qu'ils soient un comme nous. » (Jean 17.6, 11-12)

Et il enseignait de prier ainsi :

> « Notre Père, que votre Nom soit sanctifié. »

Méditation active

Tout comme l'instrumentiste s'exerce chaque jour aux gammes et aux arpèges, le compositeur, qui désire que sa musique soit de nature à toucher les régions les plus hautes et les plus pures de l'être ou le simple aspirant à la vision de l'invisible et au mieux-être, médite quotidiennement sur les réalités essentielles de l'univers. Il exerce régulièrement son mental aux arpèges de la paix, de la beauté, de la vérité, de la bonté. Son exercice quotidien est la méditation active. Ses gammes seront composées des sons qui désignent L'Infini, selon la tradition qui lui convient, peu importe, je le répète, qu'elle soit d'origine orientale ou occidentale. Il peut se concentrer plus particulièrement sur le mantra reçu de son guide personnel lors d'une initiation; mais cette pratique ne l'empêche pas d'exercer son esprit aux fréquences des mots de pouvoir provenant de tous les courants de pensées connus sur la planète ou en provenance d'autres galaxies. Chanter le Nom a toujours été reconnu comme un moyen de réalisation authentique et efficace. Quand on entre en contact avec l'électricité, on en ressent l'énergie, peu importe le vecteur par lequel elle nous est transmise.

Sons absolus dans différentes traditions :

Les Noms sacrés selon l'Islam

« Dieu est grand »	Allahu Akbar
« Il n'y a pas d'autre Dieu que Dieu »	La Ilah Ill'Allahu
« Au nom d'Allah, le Compatissant »	Bismillah Ir-Rahman Ir-Rahim
« Au nom d'Allah »	Bishmillah
« Dieu est grand »	Allah, Allah

Le prophète Mahomet avait l'habitude de dire :

« L'heure de la mort ne surprendra pas celui qui chante le Nom du Seigneur. »

Les Noms sacrés selon le christianisme

« Seigneur Jésus-Christ »
« Jésus, Jésus »
« Sainte Marie, Mère de Dieu »
« Om Jesum Christum »

Dans le livre intitulé *The Wonders of the Holy Name,* on peut lire :

> « Le nom de Jésus est la plus courte, la plus facile et la plus puissante des prières. Chacun peut la dire, même en plein milieu de ses occupations quotidiennes. Dieu ne peut refuser de l'entendre. »

Les Noms sacrés selon l'hindouisme

« Om Namo Bhagavate Vasudevaya »
« Sri Ram, Jai Ram, Jai Jai Ram »
« Hare Krishna, Hare Krishna, Krishna Krishna, Hare Hare Hare Rama, Hare Rama, Rama Rama, Hare Hare » *(Maha-Mantra)*
« Hari Om »
« A.U.M. »

Les Noms sacrés selon le bouddhisme

« Namu Amida Buddhsu »   J'offre mon hommage au Seigneur Bouddha
« Kwanzeon Bosatsu »   O Bodhisattva de compassion
« Om Mani Padme Hum »   O Toi, Le Divin en moi !

Le *zendo,* célèbre traité bouddhiste, mentionne à ce sujet :

> « Répète simplement le Nom de Amida avec tout ton cœur, lorsque tu es allongé, assis, que tu marches ou que tu sois debout, dans l'immobilité, ne cesse jamais la pratique du Nom, même pour un instant. Telle est l'œuvre qui procure infailliblement le salut, car elle est en accord avec le désir originel de Bouddha. »

> « La plus grande médecine est l'appel du Nom de Amida (Bouddha), et cet appel est contenu dans les six syllabes NA MU A MI DA BU. Ce chant représente la parfaite concentration sur le Nom du Bouddha. Pour le pratiquer, aucune connaissance n'est requise. Tout ce qu'on doit faire est de prononcer les mots et d'écouter. Dans le son de ces six syllabes réside le pivot d'un pouvoir fondamental. » (Hakuin, Bouddhite Zen, 18e siècle).

Dans la pratique quotidienne du chant et de l'écoute de ces diverses séquences sonores, il est inutile de s'attarder à leur accorder une valeur relative. L'Intelligence divine est présente dans tous les univers, et les Noms qu'on Lui attribue différent éventuellement d'un endroit à l'autre, ce qui ne s'oppose nullement à sa nature absolue.

En effet, les Noms servant à désigner la nécessité universelle revêtent tous le même caractère sacré car ils indiquent tous la même Personne Absolue ou la même Énergie Suprême, selon le cas. Ces Noms sacrés possèdent une puissance identique à celle de l'Être-Source ; rien ne saurait donc s'opposer à ce que chacun, **en quelque partie de l'univers où il se trouve**, que ce soit à l'intérieur de notre système solaire ou dans une autre galaxie, chante et glorifie spontanément le Tout Complet à travers le nom spécifique qui, en ces lieux, sert à le désigner. Ces Noms, source de toute bonne fortune, ne sont pas des facilités d'ordre matériel. Pour qu'ils soient vraiment efficaces, il est préférable de les prononcer ou de les chanter dans un but altruiste, l'esprit et le cœur élevés vers les plus hautes visualisations de l'amour cosmique. La soif de cet amour absolu, provoqué par le chant des Saints Noms, représente l'un des moyens les plus énergiques d'adapter son propre taux vibratoire à celui des plans supérieurs inaccessibles aux sens et à la raison purement physiques. Ce chant magique, chacun peut le pratiquer librement, qu'il soit terrestre, extra-terrestre ou intra-terrestre.

De même qu'il n'y a aucune limite au véritable amour, il n'y a absolument aucune frontière à l'émotion initiatique du Chant des Noms sacrés ; que l'on soit situé dans l'univers supérieur, inférieur ou intermédiaire, ou encore que l'on ait la possibilité de passer de l'un à l'autre par nos pouvoirs mécaniques ou mystiques, chacun peut tirer de ce chant le plus grand bienfait, le plus grand bénéfice.

CHAPITRE CINQ

LA MUSIQUE DE L'ÂGE DU VERSEAU

« Les physiciens ont compris que la réalité est plus étrange qu'elle n'y paraît, mais cette information n'est pas encore parvenue aux sciences biologiques. Les médecins craignent les physiciens. Ils n'ont jamais vraiment pensé à ce merveilleux et étrange phénomène : que l'atome est en grande partie de l'espace et qu'il consiste en particules d'énergie gelée. Le corps lui aussi est de l'énergie gelée. C'est très déconcertant pour nos sens physiques. En un sens, cela rappelle la résistance des contemporains de Pasteur lorsqu'il a proposé l'influence d'agents invisibles... Plus tard, lorsque le microscope est devenu largement répandu et qu'on a démontré la théorie des microbes, les gens ont accepté le fait que des bactéries pouvaient être la source de maladies, la stérilisation s'est répandue en chirurgie, et les infections sont devenues beaucoup plus contrôlables. Aujourd'hui, nous sommes au point où il nous faut prouver de nouvelles influences invisibles et inventer une technologie qui, tout comme le microscope autrefois, nous permettra de démontrer la théorie. Au cours de la prochaine décennie, nous pourrons faire des expériences très marquantes qui vont valider cette médecine énergétique. »

Richard Gerber, médecin
auteur du livre
Vibrational Medicine

« Ce n'est que lorsque la maîtrise et la tranquilité auront été acquises que les protecteurs de la race feront connaître au monde la musique dite bouddhique qui nous donnera accès, sans danger, à une illumination intérieure, dont la grandeur dépassera tout ce que nous connaissons actuellement de plus beau sur Terre. Cette musique ressemblera dans une certaine mesure au mantram... Le compositeur de cette nouvelle ère musicale invoquera par la musique les entités des plans supérieurs. »

Cyril Scott
La musique

Qu'est-ce que l'âge du Verseau ?

L'an 2000 est entre nos mains.

Nous vivons à une époque où une année cosmique se termine. Tous les 2 000 ans (21 siècles plus exactement), la Terre change d'ère, c'est-à-dire pénètre dans un nouveau signe du zodiaque céleste. Et justement, nous vivons à une époque où une année zodiacale est en train de naître : c'est le nouveau printemps planétaire où le signe du Verseau remplace l'âge du Poisson. L'humanité, au cours de son évolution cyclique, a connu, et connaîtra encore, l'âge du Cancer, l'âge du Lion, l'âge du Taureau, l'ère du Bélier, l'esprit du Scorpion, du Sagittaire, du Capricorne, de la Vierge, l'ère de la Balance et celle du Gémeaux, et à chaque cycle, le monde subit les influences propres au zodiaque sous lequel il évolue. C'est ainsi que les civilisations s'effondrent, que les cultures changent et que la Terre se renouvelle. L'esprit du Taureau a apporté de nouvelles impulsions, celui du Bélier fut caractérisé par le désir de domination, et d'ambition. Les millénaires s'écoulent, se déroulent et tout se transforme. Le Guide universel, le Christ, est apparu au début de l'ère du Poisson, et a montré la voie de la contemplation intérieure : « Cherchez d'abord l'illumination et tout vous sera donné par surcroît ». Quelques-uns ont réussi la transformation.

Aujourd'hui, l'astre de lumière dans son interminable trajectoire touche de ses rayons le signe puissant du Verseau qui durera jusqu'en l'an 4 000. Toutes les valeurs se déplacent. La transition est énorme : on se tourne désormais vers l'identité spirituelle, vers la Nature et vers l'Être sur qui tout repose. C'est la fin d'un monde pour ceux qui s'accrochent encore aux valeurs agonisantes. L'esprit du Verseau ne cherche pas le principe christique dans le respect, la peur ou la nostalgie, il accomplit le divin en lui, il réalise l'Âme Universelle en lui-même pour mieux la servir. L'amour est la seule force, l'esprit est l'outil de la maîtrise. La nouvelle Atlantide ressurgit, purifiée des erreurs passées. Un nouveau Guide Mondial offre la conscience universelle. C'est l'âge de l'unité, du banniement des frontières, des «murs»... et de l'égoïsme qui détruit. Les guerriers sont pacifiques et l'homme, par intuition, dirige librement son destin par la seule force de sa vision mentale.

La science s'échappe enfin du sensoriel et découvre les systèmes d'énergies subtiles du cosmos et la Grande Théorie Unificatrice. Des contacts se réalisent avec des intelligences venues d'ailleurs. Les rythmes changent et ceux qui s'adaptent aux nouvelles ondes spirituelles du Verseau franchissent cette bouleversante transition, pour que naisse le nouvel homme/femme solaire universel. La musique de l'âme, «l'Atlantis Angelis» qui habite en chacun de nous, représente la force qui est là uniquement pour nous aider à réussir cette inévitable et nécessaire transformation. Les énergies musicales harmonisées avec la formidable influence du Verseau sont spécifiquement étudiées pour assurer la constante contemplation de ce qui est inaltérable en nous. Sans ce travail occulte, secret, invisible mais réel, on ne peut avec succès franchir le seuil de cette époque-charnière où l'accélération et l'intensité des énergies cosmiques sont telles que ceux qui choisissent de ne pas s'accorder sur les harmoniques du nouveau courant de l'Infini et de ne pas s'identifier avec la récente pulsation de l'Univers (dont l'impact sur le monde est d'ores et déjà sans précédent), seront simplement transférés vers d'autres niveaux d'évolution.

Nul ne réussira à faire taire le rythme et la voix de l'universalité renouvelée; nul ne saura faire taire la Renaissance de la Musique pure: on n'arrête pas le fleuve cosmique de l'histoire humaine.

S'unir avec la nouvelle harmonie

La musique créée dans le but de vivifier l'âme est la nourriture de l'esprit, parce qu'elle n'est pas compétitive. Elle est faite dans un but d'élévation et non d'exploitation. Dans cette approche musicale, le compositeur et l'auditeur sont complices du même désir de verticalité, du même élan vers le centre universel, la source de toute chose. Elle ne provoque pas l'inflammation des sens, mais représente une invitation à la méditation et au dévouement.

La musique faite dans un but de compétition renforce l'égo et, par conséquent, a la tendance de durcir les nœuds émotifs qui nous bloquent et empêchent les bonnes énergies de circuler librement en nous. C'est une musique d'énervation; elle fait étalage d'adresse digitale et exhibe une forme de sensualité si lourde qu'elle emprisonne et interdit la libération de l'esprit. Au contraire, la musique composée dans un but d'élévation est une vibration relaxante; par elle, les entités des plans supérieurs sont invoqués. Elle représente un effort sincère, dirigé vers la réalisation de la lumière, vers la paix et l'harmonie. Elle détend, dénoue, dissout les angoisses et les anxiétés produites par les illusions du plan physique. C'est aussi une musique sensuelle, mais sa sensualité est sublime et s'adresse aux organes des sens supérieurs. Elle provoque un plaisir subtil incomparable, car elle nous met en rapport avec les puissances « d'En Haut », qui sont existence, conscience et bonheur suprême. Cette musique intérieure permet de goûter une plus grande sérénité de cœur et de développer une meilleure maîtrise des quatre corps : physique, émotionnel, mental et éthérique. On y voit les prémices de la musique bouddhique, qui donne accès à une illumination de l'être tout entier, illumination qui dépasse et transcende le domaine du connu.

Pour jouir de ce matériau musical exeptionnel, il est recommandé de se placer en état de pur abandon de soi-même. De nombreuses techniques de relaxation proposent un tel état. La musique de l'âge du Verseau, en prolongeant la pensée et en permettant d'emblée l'hypotonie musculaire (qui est le premier stade de la relaxation réelle) constitue un élément inducteur de choix de la détente profonde et complète.

Pour que la conscience parvienne à se libérer, il est bon de «déconnecter» le mental. Un esprit préoccupé ne peut connaître l'état de disponibilité qui est le *sine qua non* d'une juste perception musicale. Il est bon de chercher à développer une docilité à la grâce qui résume tout l'art d'entrer en contact avec une telle musique. Pour ne pas parasiter ou même interrompre l'écoute intime, tous les obstacles à l'abandon de soi-même doivent être peu à peu éliminés. Ce n'est qu'après cette nécessaire transformation que l'on verra nos émotions coïncider avec celles de la musique. Dans un dépassement de soi, il nous sera alors donné de s'unir avec la nouvelle harmonie.

Le centre intemporel

Il s'agit de retrouver le rôle secret de la musique, sa véritable fonction. On dit qu'elle adoucit les mœurs ; c'est exact : la musique détient ce pouvoir. Elle peut transformer un barbare en un être évolué. Elle peut aussi transformer un innocent en sauvage sanguinaire. Toute énergie sonore n'est pas bonne à entendre et il est possible que seule celle qui « adoucit notre manière de vivre » mérite de porter le nom mystique de musique.

La musique est censée mettre l'harmonie dans les corps subtils des hommes, aplanissant ainsi les « sentiers du Seigneur », préparant et facilitant l'avènement des instructeurs de ce monde. La musique de l'âme est une vibration consciente, une énergie bouddhique qui a pour rôle d'illuminer l'être dans sa totalité. Elle correspond à un déparasitage du corps physique, du cœur spirituel et de l'esprit tout entier. Elle s'adresse directement à l'âme et vient de l'âme, transcendant ainsi les plans physique, mental et intellectuel. Elle provoque un état de transe contrôlée, qui opère calmement un processus de recul par rapport à la lutte pour l'existence qui se joue sur le plan de la matière. Elle relativise nos conflits individuels ou collectifs, en nous reliant aux sphères et aux mondes supérieurs. Elle est en soi la religion au sens latin du mot *religare* ou se relier. Elle a le pouvoir de nous relier au cosmos en jetant un pont de lumière entre notre solitude et la multitude des hiérarchies célestes, qui sont toujours prêtes à nous venir en aide. Elle est le nom et le nombre divin en tant qu'énergie infinie et elle représente le miracle de la parfaite guérison. Elle se charge de nous rapprocher de nous-mêmes et de nous rapprocher du Dieu Intérieur.

Lorsque la musique ne nous aide pas à retrouver notre identité véritable, lorsqu'elle nous éloigne de notre état constitutionnel, elle ne remplit pas sa fonction et devient un simple divertissement. La musique de l'âge du Verseau, est celle de l'âme dans le sens qu'elle affine la pensée, et c'est dans ce sens qu'elle nous offre le temps, dont on a un urgent besoin, de recouvrer le centre intemporel qui vibre en chacun de nous. À son contact, nous révisons automatiquement nos priorités. La vibration musicale opère un changement de polarité sur nos valeurs. Au lieu de miser tous nos efforts sur « l'avoir », nous développerons, à son écoute, une revalorisation de « l'être ». Le résultat est une réharmonisation du corps, du cœur et du but de l'existence. Les problèmes liés à la forme (corps physique, mental, émotionnel et éthérique) ont alors moins d'importance, et nous prenons en considération les problèmes de fond (la vie éternelle de l'âme), ce qui entraîne une nette diminution du stress existentiel. Ce cheminement nous fait découvrir notre véritable identité d'harmonie.

Liberté et responsabilité

Avec la venue de l'âge du Verseau, qui est aussi l'âge de la compréhension des mots « liberté » et « responsabilité », il n'est plus question de partir en croisade contre un genre musical particulier ; il s'agit plutôt d'observer, de se renseigner, de mieux connaître le fonctionnement du monde mystérieux de la musique et des énergies sonores, puis de prendre conscience des implications qu'à pour nous le fait d'écouter ou d'entendre telle ou telle sorte de musique. Il s'agit aussi de se donner le choix d'en savoir un peu plus sur ces vibrations invisibles «qui nous font tant d'effets». Lévi-Strauss a écrit :

> « La musique représente le mystère suprême de la connaissance humaine. Toutes les autres branches du savoir y sont intégrées. Elle détient la clé de leur progrès ».

Ce mystère peut être percé, mais il convient que la musique «elle-même» le veuille, car elle est un être vivant, qui demande à être respecté et aimé. Il devient donc essentiel d'aimer et de respecter cet être qui n'est trop souvent, qu'un moyen de subsistance ou une source d'excitation, quant elle n'est pas tout simplement un stimulant pour faire vendre de l'insignifiance.

Les anges de l'Atlantide

Ce n'est pas en l'exploitant que la musique se livre à nous, mais en s'y dédiant. Car on n'exploite pas une grande prêtresse ; au contraire, on s'efforce de la servir dans le respect et dans l'amour. C'est ainsi qu'elle nous remarque et nous investit de ses pouvoirs surnaturels. Pour celui qui n'a jamais vu d'avion, les lois de l'aérodynamique sont magie. De la même manière, les musiciens de l'ère nouvelle deviendront des magiciens. Ils seront conscients des lois du son et les appliqueront. Ils seront conscients de l'opération magique des mélodies sur le corps et l'esprit des hommes. Ils s'en serviront dans un sens constructif et positif, pour le plus grand bien de l'humanité. Ainsi, ils sauveront le monde. Ces musiciens redécouvrent déjà à l'heure actuelle cette puissance. Ils utilisent les énergies musicales pour fabriquer des formes harmonieuses, qui sont de nature à élever l'âme et à inspirer de belles et nobles pensées. Ils font ainsi le bien de tous les êtres vivants de l'univers, car la vibration ne peut être détruite.

Un son émis continue éternellement et se promène dans le cosmos, influençant tous les êtres qu'il rencontre. En empruntant cette voie, les musiciens de l'ère nouvelle évitent les erreurs des prêtres de l'ancienne Atlantide qui avaient compris que **l'on peut mettre certaines puissances en marche et obtenir des résultats tangibles, par la répétition de certains assemblages de notes.** La tradition ésotérique nous apprend que ces prêtres mirent leur science au service des forces destructrives. Ils firent un mauvais usage de leur connaissance et des forces qu'elle pouvait mettre en œuvre. C'est ainsi que la discordance fut employée volontairement à des fins de désintégration, ce qui entraîna la chute du continent atlantéen. Mais l'histoire occulte du monde ne se répètera pas. Les magiciens-musiciens de l'ère nouvelle feront revivre l'Atlantide par la force de leurs inventions et cette nouvelle Atlantide connaîtra une atmosphère de lumière angélique. La science des sons ne sera plus employée dans un but de démolition, mais spécifiquement calculée pour accompagner un état de conscience cosmique, ou d'union avec le Divin. De ces créations musicales émanera le souffle de l'harmonie divine.

Le but véritable de la musique humaine

Pourquoi écoutons-nous de la musique? Que recherchons-nous au juste? Selon la tradition du Vedanta, nous l'avons vu, le but de la vie est de se consacrer à sa propre évolution et de s'élever jusqu'au plan de l'amour divin. Si l'on suit un raisonnement logique, la musique devrait nous aider dans ce sens. Or, dans l'histoire de l'humanité, le monde n'a jamais connu d'époque aussi violente que la nôtre. Il n'y a qu'à ouvrir les journaux pour s'en persuader. Les sons et les énergies musicales produites par le monde moderne sont souvent à l'origine de cet état de choses. Mais ce qui blesse peut aussi soigner. Et en adoucissant nos mœurs, la nouvelle musique de l'âme nous **apporte la paix mondiale et purifie l'aura de la planète.**

Le plus grand besoin de l'humanité est désormais de redécouvrir le but réel de la musique. Entrer en contact avec l'âme et élever la conscience jusqu'au niveau de la transcendance, jusqu'à l'état parfait : tel est le but véritable de la musique humaine, tel est le rôle de la musique de l'âge nouveau.

Un sursaut de bon sens

L'humanité est sur le point de retrouver le rôle cosmique du son. Malraux avait raison de dire : « Le 21e siècle sera spirituel ou ne sera pas ». Le choix est à la mesure de la vie. La vision positive nous montre la direction que l'humanité prendra, la seule alternative possible pour qu'il lui soit accordé de poursuivre son évolution. Il est permis de croire que, dans un sursaut de bon sens, la race humaine décide de ne pas s'auto-détruire. Dans un premier temps, viendra la libération du bruit et de toutes les vibrations sonores débilitantes. Ensuite, nous redécouvrirons la musique de l'âme, seule capable de nous reconnecter avec nos intuitions profondes, de nous offrir l'opportunité de goûter à nouveau le nectar de la source intérieure. À travers elle, l'humain réentendra la musique du ciel.

Aujourd'hui, l'écoute méditative de la musique a d'ores et déjà été redécouverte. C'est un signe des temps. Le premier pas vient d'être franchi. Bien que quelquefois plus proche de la naissance que de la maturité, elle annonce l'âge du Verseau et conspire contre le réductionnisme et le matérialisme fanatique. Son véritable sens ainsi que son impact sur l'être intime est encore à redécouvrir, à redéfinir, afin de retrouver l'écoute profonde de la vie.

Déjà, des pionniers ouvrent la voie un peu partout dans le monde. Un des plus beaux exemples à ce niveau est sans doute l'expérience que tente Georges Balan. Ce musicologue d'origine roumaine, ancien titulaire de la chaire d'esthétique musicale au Conservatoire de Bucarest, s'est penché sur ces problèmes avec acuité. Le développement de sa pensée a abouti à la fondation du mouvement Musicosophia, dont le centre est l'Institut pour l'Approfondissement Spirituel de la Musique et l'Éducation de l'Écoute Musicale Consciente. Son activité vise à faire découvrir à l'auditeur sa mission spécifique et à lui permettre de s'initier — quelle que soit sa formation ou sa pratique musicale — à l'art de l'écoute approfondie. De telles expériences méritent qu'on les mentionne. Il est à souhaiter que ce genre d'école se multiplie partout. Dans une entrevue accordée à la revue *Troisième Millénaire* au sujet de l'art de l'écoute musicale, Georges Balan déclarait :

> « J'ai toujours été étonné par le désaccord criant entre ce que souhaitaient les grands maîtres — à savoir que leurs œuvres élèvent l'homme et le rendent conscient de l'éternité qu'il porte en lui — et le piètre retentissement de ces œuvres dans la conscience des auditeurs, d'ordinaire uniquement attirés par la surface sonore et sentimentale de la musique ».

L'œuvre magique et méditative

Il nous faut aller plus loin dans l'écoute si nous voulons pénétrer le royaume infini des sons. Les efforts immenses, grâce auxquels la force de l'harmonie parvient à nous parler d'une manière parfois bouleversante, acquièrent un sens dans la mesure où ils ont éveillé en nous la volonté de ressentir cette énergie aussi intensément que la ressentent ceux qui nous la transmettent. En d'autres mots, les sons ne nous révéleront rien tant que nous n'aurons pas découvert la mission de la « personne auditrice », **dont la contribution créatrice s'avère au moins aussi nécessaire que celle du compositeur et de l'interprète**. Lorsque, sous l'action des sons, s'effectuent dans notre esprit et dans notre âme les opérations purificatrices et libératrices, en vue desquelles la musique existe, nous atteignons véritablement l'écoute profonde.

C'est ce que la musique des temps nouveaux provoque. Ces ondes particulières ont la faculté de prolonger la pensée. Elles nous invitent à plonger consciemment dans les espaces profonds du langage intérieur. La musique devient ainsi celle de l'âme, en lui ouvrant les portes du renouvellement de sa propre vie intime. Quand cette faculté n'est pas perçue, la valeur spirituelle de cet art s'effondre. Il n'en reste que l'écho parfois puissant, mais toujours éphémère ou existentiel, des sons en nous. La musique se trouve alors reléguée à l'un des degrés les plus bas de la hiérarchie des arts. On n'y puise que l'effet courant qu'elle fait en nous, qui se réduit le plus souvent à une évanescente volupté. C'est encore hélas l'image réelle de l'attitude générale à l'égard de la mélodie, quand on la juge simplement divertissante. La perception de la musique de l'âme suppose un changement radical de cette attitude. **Le compositeur ne peut pas accomplir l'œuvre magique seul; il lui faut la complicité de l'auditeur.** Il est nécessaire que ce dernier se soucie du message rédempteur et libérateur caché dans les sons. Sans cette vigilance de l'auditeur, la tâche du compositeur, qui consiste à révéler les vérités cosmiques et suprêmes, s'avère tout à fait vaine. C'est seulement grâce à cette extrême vigilance qu'il peut y avoir une rencontre entre, d'une part, compositeur et auditeur et d'autre part, âme infinitésimale et Âme Suprême...

La plupart du temps, l'auditeur — qui est aussi le méditant et l'écoutant — est passif parce que parfaitement ignorant de son rôle essentiel vis-à-vis de la musique, vis-à-vis des sons et vis-à-vis des mantras. Il s'imagine que le compositeur, ou le créateur des sons ou l'interprète peut tout faire seul, sans que lui n'ait à lever le petit doigt!

C'est pour supprimer ce terrible malentendu que de plus en plus de compositeurs se font entendre et tentent de redonner à la musique sa vraie fonction: **relier les âmes aux âmes, et relier les âmes à Dieu.**

La musique de l'âme, étant au sens prophétique du mot celle des temps nouveaux, se doit de passer automatiquement par la supression du quiproquo compositeur/auditeur. L'éducation dans ce sens des deux parties est absolument nécessaire, si nous désirons que le message reçu des hautes régions de l'esprit par le compositeur puisse être transmis à l'auditeur. La responsabilité de ce dernier n'est pas moins grande que celle du premier. De la même manière, le guide ou guru-maître, ou guerrier, ou grand kabire (qu'on l'appelle comme on voudra) — quand il est authentique — doit trouver un disciple, lui même authentiquement sincère dans sa démarche, pour que le message qu'il transmet puisse être reçu, entendu, et retransmis à son tour. On retrouve ici l'éternelle relation d'amour archétypale guide/disciple, père/fils, époux/épouse, etc. La relation triangulaire compositeur/interprète/auditeur est elle aussi une relation pure, quand l'intention du vécu musical s'avère de nature supérieure. Sans cette intention particulière, elle demeure à un niveau grossier, c'est-à-dire qu'elle reste vaguement indifférente, sentimentale, quand elle n'est pas tout simplement idolâtre. Le musicologue Georges Balan, dans son *Essai sur l'écoute méditative* se pose cette importante question :

> « Quel est l'auditeur conscient du travail intérieur qu'il doit accomplir pour que la création (par le compositeur) et la recréation par l'interprète porte vraiment des fruits ? ».

Ce travail dont parle ici Georges Balan n'est pas cette délectation béate à laquelle on s'adonne habituellement. C'est une œuvre de conquête : **il s'agit de conquérir la véritable joie de l'écoute musicale clairaudiente**, une joie qui n'a plus rien de commun avec les sensations auditives ordinaires. Le processus de création s'achève lorsque le message de joie triomphe dans notre vie intérieure. Lors d'un festin, les convives agissent directement pour que la création culinaire atteigne son but : ils mangent. Ainsi, l'auditeur invité à la table de la musique ne doit pas demeurer béat en simple spectateur. Il lui faut passer à table et célébrer la grande fête initiatique de l'Audible tout-puissant.

Une voie vers la lumière

Il n'y a pas d'autre moyen pour que l'essence spirituelle des sons retentisse victorieusement et durablement en nous. Cette essence, Beethoven l'a résumée en ces termes :

195

« Jaillissement intérieur du feu de l'esprit, et élévation de l'âme au-dessus de la misère où les autres se traînent ».

À ce niveau, c'est l'âme de l'auditeur qui devient sa partition et son instrument. Nulle science musicale n'est requise. Ce qui est absolument nécessaire par contre, c'est la faculté de puissamment concentrer son attention. Le chant du *japa,* l'écoute vivante des Noms sacrés, en plus de purifier l'esprit et le cœur, peut être d'une grande utilité pour celui qui désire aiguiser sa concentration. Entendre la musique de l'âme n'est pas une activité bon marché. C'est l'œuvre d'un guerrier, et une vigilance compatissante est requise. Il suffira que l'auditeur s'identifie à tel point avec la musique, pour que celle-ci commence à agir en lui comme un être vivant avec lequel il puisse s'entretenir intimement. Les réponses qu'il recevra seront alors révélatrices. La musique cessera d'être une simple distraction. Chargée de l'énergie supérieure des mondes suprasensibles, elle deviendra expression directe d'une réalité spirituelle si élevée que l'âme n'hésitera pas à lui attribuer un sens divin. Et pourtant, dirait encore Georges Balan,

> « si l'auditeur a vraiment entamé ce dialogue intime avec la mélodie qui chante en lui, c'est d'une manière tendre et affectueuse qu'il vit cette majesté, parfois terrible, du monde spirituel pressenti comme vivant au-delà des sons perceptibles ».

Dans un proche avenir, la musique ne sera pour nous rien d'autre que le complice sage et amical, qui nous guidera vers la lumière et nous aidera à sortir des ténèbres du monde de la douleur et de l'illusoire. L'homme n'aura pas d'autre choix que de prendre son message au sérieux, car il aura compris que c'est la musique qu'il crée qui construit les sociétés dans lesquelles il vit. **Par les sons qu'il émet et qu'il écoute, l'homme est le maître et le créateur de son destin.**

Nouvelle respiration de la conscience

Il n'est plus permis d'ignorer l'incroyable transformation planétaire à laquelle nous assistons. La conscience de la Terre est sur le point de subir une révolution totale, et cette révolution aura pour fonction de réharmoniser les priorités de l'humanité avec le reste de la galaxie. Dans son livre *The Awakening Earth*, Peter Russell n'hésite pas à déclarer :

> « Quelque chose de miraculeux est peut-être en train de se produire sur cette planète, sur notre petite perle bleue. L'humanité pourrait bien se trouver sur le seuil d'un saut évolutionnaire, un saut qui pourrait se faire en un éclair, un saut tel qu'il ne s'en produit qu'une fois tous les milliards d'années. Et le changement qui nous mène vers ce saut se déroule devant nos yeux — ou plutôt derrière nos yeux — au sein de nos propres esprits ».

Avec le même optimisme contagieux, Marilyn Ferguson écrit dans *Les Enfants du Verseau* :

> « Même la Renaissance n'avait pas promis un renouveau aussi radical... Nous sommes liés pas nos voyages et la technologie, de plus en plus conscients les uns des autres et ouverts les uns aux autres. Nous découvrons qu'un nombre croissant de gens peut s'enrichir et se renforcer mutuellement, et que nous portons plus d'attention à notre place dans la nature ».

Les nouveaux milieux scientifiques secouent la vieille École de pensée, encore engluée dans sa spécificité. Le physicien Fritjof Capra dit pour sa part dans *Le temps d'un changement* :

> « Nous avons besoin d'un nouveau paradigme, d'une nouvelle vision de la réalité, un changement fondamental dans nos pensées, nos perceptions et nos valeurs. Le début de ce changement, de ce passage d'une conception mécaniste à une conception holistique de la réalité, se voit déjà dans tous les domaines et va, semble-t-il, dominer la présente décennie ».

Il semble que la musique ait un rôle crucial à jouer dans l'avènement de ce nouveau paradigme, de cette nouvelle vision du monde. Pour créer l'âge du Verseau, la musique devra dépasser le niveau de l'agrément naïf et atteindre la sphère de l'esprit. Elle sera une respiration de la conscience ; elle deviendra le chant des âmes en se faisant l'écho de leurs plus hautes intuitions, tant il est vrai que c'est par elle que la vie de l'âme se manifeste en ce monde. Les nouveaux compositeurs réentendront la symphonie grandiose qui vibre dans la galaxie, et leurs créations éveilleront la responsabilité supérieure de la forme humaine. Le maître Omraam Mikhaël Aïvanhov déclarait dans une série de conférences sur la création artistique :

> « La musique éveille dans notre âme le souvenir de la patrie céleste, la nostalgie du paradis perdu. C'est un des moyens les plus puissants, plus puissant que la peinture ou que la danse parce qu'il est immédiat, instantané... On se souvient d'un seul coup que l'on vient du ciel et que c'est au ciel qu'il faudra retourner un jour. Qu'il y ait des musiques qui éveillent, au contraire, le désir de rester le plus longtemps sur la Terre, c'est certain ; mais telle n'est pas la véritable prédestination de la musique ».

Les nouveaux compositeurs ne seront donc pas uniquement des virtuoses ; ils seront de véritables mystiques. Leur mission dépassera le rôle d'amuseurs publics, et ils retrouveront **le travail initiatique des grands créateurs de musique sacrée.** Dans la mesure où leur musique mettra l'humain en contact étroit avec les sphères déviques, édéniques, et spirituelles, ils permettront aux hommes d'entendre à nouveau la grande respiration cosmique et de sentir physiquement cette présence surnaturelle que chacun porte au fond de soi pour l'éternité.

Se relier aux grands *Dévas*

Au lieu de simples virtuoses, dont l'influence prédominante a de tout temps montré les signes de la décadence de la musique, on rencontrera de véritables artistes inspirés. Ceux-ci se désintéresseront des enjolivures dépouillées de tout contenu musical et se rapprocheront de la mélodie riche et inspirée, qui n'excite peut-être pas l'enthousiasme des foules autant que peut le faire la virtuosité, mais qui a ce pouvoir spécifique d'émettre des vibrations puissantes et subtiles, qui pénètrent et bouleversent l'âme en ouvrant les cœurs et en éveillant les esprits. Dans son *Histoire de la Musique*, Naumann fait état de cette dégénérescence musicale qui frappe les hommes régulièrement. Dans le cas de la Grèce, l'évènement est évident et mérite d'être souligné. La musique avait dégénéré à un tel point que seules les fioritures importaient. La substance du vécu musical et le message à exprimer n'intéressaient déjà plus personne. Naumann précise :

> « L'artifice supplanta l'art et la sensation supplanta la profondeur des sentiments. »

On sait maintenant que l'état d'un langage musical distinct déclenche un état similaire dans la société humaine. Si ce point n'avait pas encore été assimilé, il suffirait de se rapporter aux conséquences de la dégénérescence musicale sur l'antique société grecque. À la suite de cette chute l'histoire note un affaiblissement du caractère des Grecs, à mesure que ce changement se produisait. On assista également au déclin de leur sens moral et à « l'inexplicable » naufrage de toutes leurs entreprises militaires. Suivirent l'ingérence des autres nations dans leur équilibre social et une perte du goût de l'indépendance : ce fut la fin de leur prospérité.

L'homme d'aujourd'hui, ne pouvant plus, de toute évidence, faire confiance aux religieux pervertis, aux politiciens-marionnettes et aux scientifiques-apprentis-sorciers, se tournera vers les artistes afin de les encourager à composer une musique capable de relier l'humanité souffrante aux Dévas, qui président les affaires de l'univers. Il lui faudra non seulement les guider dans leurs inspirations, mais également agir directement sur les différents milieux médiatiques, qui diffusent à longueur de temps les sons, les paroles et les musiques qui, quelles qu'elles soient, sont le ferment de l'avenir, dans la mesure où ces ondes sculptent littéralement l'environnement futur.

Le grand voyant Cyril Scott précise dans son livre-culte sur *La Musique et son influence secrète à travers les âges* :

« La musique de demain aura pour mission de nous mettre en contact plus étroit avec le monde des Dévas, permettant ainsi aux habitués des salles de concert de bénéficier de la protection de ces grands Êtres, qui auront été invoqués à l'aide de l'harmonisation de sons appropriés ».

La musique scientifiquement adaptée à laquelle Scott fait ici allusion aura précisément le rôle que les grands *mantram* des cérémonies initiatiques de l'Antiquité ont joué aux époques védiques et atlantéennes : celui d'invoquer les Dévas. En outre, ces énergies musicales mantriques stimuleront chez l'auditeur conscient les facultés grâce auxquelles il lui sera donné de répondre à l'incroyable vitesse vibratoire de ces individus venus d'ailleurs, c'est-à-dire de ces autres régions de l'Univers que l'on ne perçoit pas avec nos sens imparfaits. L'homme devra oublier son arrogance face à la nature et se réharmoniser avec elle, ou bien il sera éliminé par les événements apocalyptiques dont il ne manquera pas d'être l'impuissant témoin s'il poursuit l'exploitation anarchique des ressources non-renouvelables de la planète. Ces grands bouleversements (changements climatiques, fonte de la calotte glaciaire, séismes généralisés, sécheresses globales, etc.) ne seront que les résultats de ses actes criminels face aux animaux, face à la Terre, face aux humains, aux elfes, aux esprits de la nature, face aux quatre éléments, face aux fées, aux gnomes et aux anges du ciel.

L'effet d'une révélation

Le message de la musique des temps nouveaux ne s'adressera pas uniquement à nos sens ou à notre mental, comme le fait si souvent celle que nous propose le système actuel. En s'adressant directement à notre être éternel, les harmonies de l'âge du Verseau ouvriront les portes de la libération spirituelle. Par une sorte de synthèse unique, elle relieront la substance la plus essentielle de l'âme vivante aux plans les plus glorieux des mondes spirituels. Beethoven l'avait prédit, la musique aura sur l'âme l'effet d'une révélation. Lorsque l'homme découvrira, par l'action des ondes sonores, que **lui et l'Être Global sont de même essence, de même nature, et possèdent de toute éternité les mêmes qualités**, il ne pourra plus rester au bas de l'échelle de son évolution et atteindra rapidement les niveaux des initiations supérieures. L'énergie sonore purifiée l'emportera vers sa patrie d'origine, vers sa véritable identité, et il retrouvera sa position constitutionnelle au sein de la création. Il sera alors libéré de la crainte, de la haine, de la renaissance, de la vieillesse, de la maladie, du transfert de la mort physique et de toutes les contingences liées au monde de la matière.

Celui qui entre vraiment dans la symphonie de l'âge nouveau renonce du même coup à toutes ses attitudes suppliantes et rampantes. Il s'élève au-delà de la condition humaine et chante avec une foi intelligente, un chant d'allégresse basé sur la connaissance des lois qui régissent l'univers plutôt que sur une croyance quelconque. **Il ne croit plus : il connaît ; il n'espère plus : il sait**. Ses doutes sont réduits à néant par le triple feu du savoir, de la joie silencieuse et de la vision intérieure.

La musique de l'âme — ce chant intime irrésistible, qui soulève les montagnes de l'ennui et du désespoir — redonne force et courage ; et l'être qui cherche à l'entendre est dirigé par les puissances célestes vers les guides terrestres. Ces maîtres vivants enseignent par l'exemple ; tout chercheur sincère peut être certain d'en rencontrer un sur son chemin. L'aide de ces guides est précieuse. La musique de l'âme peut être perçue par le biais du chant méditatif inspiré ou de certaines musiques sacrées appartenant à la catégorie dite « classique ». Parallèlement, des œuvres jugées folkloriques ou « primitives » sont en fait, de grands ponts sonores menant directement à l'écoute profonde.

On s'aperçoit vite à ce niveau que les étiquettes que l'on colle sur les genres musicaux n'ont qu'une valeur très relative. En vérité, si elle est à caractère méditatif ou supérieurement inspirée, elle peut faire tressaillir l'âme et provoquer par intuition le réveil du frémissement de la vie intérieure. Les cicatrices psychologiques sont plus ou moins profondes et chacun réagit différemment. Les préjugés — ces terribles idées préconçues qui bloquent les énergies du cœur — s'enracinent dans l'esprit, et certains individus devront attendre des années, voire des vies, pour ressentir ce quelque chose d'indéfinissable dans leur for intérieur, qui se traduit la plupart du temps par un mouvement inoubliable des profondeurs de la conscience. D'autres sont pleinement éveillés à la Réalité de ces espaces intimes illimités.

Ce qui peut déclencher l'expérience mystique de la musique de l'âme le plus vite, c'est l'écoute et le chant des Noms sacrés, tels qu'ils nous sont transmis par la tradition — ou, si nous avons rejeté la tradition, comme cela arrive fréquemment — tels qu'ils nous ont été révélés par le biais d'un maître, d'un rêve, d'un livre, d'une inspiration ou simplement apportés par des entités supérieurement évoluées venues de l'espace, ou de plans d'existence parallèles.

La formule « *guru-shastra-sadhu* »

Quoi qu'il en soit, il est bon d'authentifier son cheminement dans l'univers des énergies sonores spirituelles. À cette fin, la formule sanskrite « *guru/shastra/sadhu* » peut nous être très utile. Pour être certain de ne pas faire fausse route (les pièges sont aussi nombreux que subtils), on recommande de vérifier le bien-fondé de sa démarche personnelle auprès d'un guide authentique *(guru)*, ou auprès des écrits qui font autorité en la matière *(shastra),* ou encore en étudiant la vie et l'enseignement des sages des temps passés *(sadhu).* Lorsque ces trois références coïncident, on peut être sûr de ne pas perdre son temps, de ne pas s'égarer sur des chemins approximatifs. **La foi aveugle représente toujours un danger, et le fanatisme est l'ennemi de la vérité.** Par contre, à partir du moment où l'authenticité d'une méthode d'éveil a été prouvée par cette formule, l'expérimentation directe ne doit pas être évitée.

Le critère de réussite pout toute technique d'éveil de la conscience et bien plus encore en ce qui concerne la recherche de la musique de l'âme, ne peut se passer d'une pratique directe et assidue faite dans un esprit de non-attachement et de vigilance intérieure, libre de toute obligation par rapport à toute école de pensée passée, présente ou à venir.

La musique de l'âge de Cristal

L'âge du Verseau revendique avec raison la pureté qu'incarne le cristal. Pour atteindre cette pureté propre au quartz, l'amour inconditionnel et sans attente, l'amour divin est appelé à se manifester.

Si l'amour grandit et se développe, la voie est authentique. L'amour purifié représente l'unique critère d'avancement. Il n'en existe pas d'autre, car seul l'amour divin est libéral, tolérant, et englobe toute chose. Il se suffit à lui-même ; il n'attend rien, ne demande rien. Il vit de son autonomie. La musique de l'âme est la musique de cet amour. L'amour pur révèle la divinité dans l'âme humaine. Illimité, son aboutissement ne peut être connu que par des visions. Dans son célèbre livre intitulé *La Vie des Maîtres*, B. T. Spalding parle du véritable amour en ces termes :

> « L'amour cherche continuellement une issue pour affluer dans le cœur humain, et se répandre en bienfaits. Si la perversité et les pensées discordantes de l'homme ne le détournent pas, le fleuve éternel et immuable de l'amour de Dieu s'écoule constamment, entraînant dans le grand océan universel de l'oubli toute apparance d'inharmonie ou de laideur susceptible de troubler la paix des hommes. L'amour est le fruit parfait du chant de l'esprit. Il s'avance pour panser les plaies de l'humanité, rapprocher les nations dans l'harmonie et apporter au monde paix et prospérité. Il est le rythme, la pulsation même du monde, le battement de cœur de l'Univers ».

L'amour est indissociable de la vie de l'âme, dont il incarne le fruit divin qui correspond à la nourriture céleste des êtres vivants éternels. Grâce à lui, le monde verra bientôt la splendeur de l'âge de Cristal s'établir sur la Terre. La musique des nouveaux compositeurs annihilera l'esprit de limitation, de frontière, de petitesse, qui règne encore dans le cœur de l'humanité. Au moyen de cette musique à la fois nouvelle et millénaire, les nations tendront la main aux forces de l'Esprit. **L'Amérique se rendra compte que la colombe est plus puissante que l'aigle.** Elle répondra à l'appel de ces ondes spirituelles. Les peuples évolueront par le système sympathique, en utilisant les forces de l'intuition, et non par le système cérébro-spinal qui dirige la raison et l'intellect. La musique purifiée des craintes et des demandes de l'égo négatif rétablira un équilibre parfait entre le côté droit et le côté gauche du cerveau. Les humains seront en conséquence, plus sensibles aux nouvelles combinaisons spirituelles des sons, et cette sensibilité sera le résultat de l'avènement des approches musicales spiritualisées.

Toutes les musiques hautement inspirées vibrent au rythme de la force intérieure. Elles détiennent le pouvoir de sauver l'humanité du manque d'harmonie qui la caractérise. La musique de l'âme est cette œuvre d'art qui crée une émotion porteuse de sensations d'éternité. À son écoute, l'auditeur plonge dans le sentiment de quelque chose d'infini. Il expérimente des changements d'état de conscience. Ces ondes, étant de nature spirituelle, provoquent en lui certaines circonstances dans lesquelles le véritable sentiment mystique peut atteindre un paroxysme. Il baigne alors dans un environnement océanique sans limites et il pénètre dans une expérience mystique transpersonnelle qui fait jaillir en lui la rivière de jouvence nécessaire à la cristallisation de ces grands sentiments d'amour limpide qui portent l'âme jusqu'au seuil de sa propre extase et de sa propre immortalité.

L'âge de l'unité

L'être à l'écoute de la musique des temps nouveaux, perçoit l'unité du cosmos et se perçoit à l'intérieur de cette unité. Bien que conscient d'être Un avec la galaxie, il ne perd pas pour autant son identité spirituelle. Devenu Un avec tout ce qui l'entoure, il n'en demeure pas moins simultanément différent. Cette forme d'illumination s'accompagne d'un sentiment de paix sans mélange et d'unité universelle, sans demande et sans besoin.

Conscient d'être l'âme et non le corps, l'entité en écoute profonde perçoit le caractère illusoire et éphémère de ce monde, et abandonne l'inquiétude de la pénurie et de la mort. En s'adressant à l'être-cœur, sans passer par l'intermédiaire de l'être-cerveau, la musique de l'âme offre la possibilité de « se » trouver entre les espaces intérieurs de ses mesures et de ses notes. Stockhausen en pressent le besoin quand il écrit :

> « Notre musique est devenue une musique de discours. Elle a été déterminée par les muscles : ceux du larynx pour le chant, ceux des doigts pour les instruments à claviers, ceux de la respiration pour les instruments à vent. Tout était déterminé par le corps. Voilà pourquoi on n'a jamais joué sur des rythmes plus rapides ou plus lents que ceux des mouvements naturels du corps. Rythmes de marche, de pouls, de cœur, tous ces rythmes mécaniques, qui sont ceux du corps, qui renvoient au corps et non à quelque chose de libre, qui vole, qui me laisse trouver entre les mesures mon propre rythme à moi, qui me laisse le temps ; quelque chose qui change, qui n'est pas statique, qui a une faculté de variation que je ne trouve pas dans la vie mécanique de tous les jours ».

La nouvelle musique de l'âge du Verseau représente ce « quelque chose qui vole » : c'est un enfoncement dans le présent absolu, l'arrêt et la méditation sur un son. Cet « arrêt » rend possible l'extension de la conscience. En agrandissant les consciences, elle agrandit les cœurs. Cette dilatation permettra graduellement la manifestation du supra-mental sur la Terre, la descente de la lumière universelle dans les cœurs et l'avènement de l'Unité.

Le bain musical du Chant de l'Universel

Pour mieux ressentir les forces de la musique alliées à la puissance des Noms sacrés, je vous suggère un exercice dans lequel est utilisé « **Le Chant de l'Universel** », (face « Yin » de l'enregistrement « **Atlantis Angelis** »). Cet exercice peut, bien entendu, être pratiqué avec toute musique appartenant au domaine du chant méditatif inspiré. Toutefois «**Le Chant de l'Universel**» de «**Atlantis Angelis**» est plus spécialement indiqué. Cela s'explique par le choix particulier des sonorités, ainsi que par la nature même du langage mantrique utilisé, et l'intention pure qui y est injectée. Faites cet exercice chaque jour et vous constaterez une profonde transformation intérieure dans les régions les plus subtiles de votre être.

Cet exercice ne fait nullement appel à l'effort mental ou à la volonté et encore moins à l'intellect ; il fait appel à l'imagination qui est la première faculté de l'homme, comme le prouve Émile Coué, le père de l'autosuggestion et de l'affirmation positive. L'imagination ! Gisèle Robert, psychothérapeute gestaltiste et thérapeute en imagerie mentale en parle en ces termes dans *Guide Ressources*, nov.-déc. 1989 :

« L'imagerie mentale fait appel à cette capacité que nous possédons tous d'avoir accès à une information enfouie au fond de nous... Les recherches nous permettent d'affirmer qu'un processus neuro-physiologique se déclenche dans l'organisme non seulement lorsque nous vivons une situation concrète mais aussi lorsque nous l'imaginons. Comme si le corps ne pouvait pas distinguer la fiction de la réalité et qu'il réagissait de la même manière à l'un et à l'autre. Une situation difficile vécue en cauchemar, par exemple, nous fera transpirer tout autant que s'il s'agissait d'un fait réel. Pourquoi n'en serait-il pas ainsi pour les émotions positives ? Ainsi, la personne qui se verra dans une lumière dorée sera renforcée par cette lumière de guérison. »

30 minutes de libération

Au début de l'exercice, écoutez « **Le Chant de l'Universel** », le corps confortablement assis, ou couché en position de relaxation (pieds légèrement écartés et bras le long du corps, mains détendues). Ceux et celles qui pratiquent l'*astanga-yoga* ou une forme de *hatha-yoga,* peuvent pratiquer *padmasana.*

Respirez lentement, profondément, en détendant chacun de vos muscles l'un après l'autre. Au début, ne faites rien, ne pensez à rien ; ce qui paraît simple mais en vérité demande un certain état de grâce. Imaginez que votre esprit se libère de toutes les pensées qui peuvent l'encombrer.

Vous pouvez, si vous en sentez directement les bienfaits, répéter doucement une petite phrase d'autosuggestion positive pour déshypnotiser le mental de ses illusions négatives. Comme par exemple : « Je me sens parfaitement détendu. Tout va bien désormais. Je suis un ami de l'univers, et l'univers me soutient ». En répétant cette petite phrase, abandonnez vos soucis de tous les jours, « laissez-les tomber ». Offrez à votre âme trente minutes de libération. Faites lâcher prise à votre corps et à votre mental. Donnez-leur quartier libre. Ne commencez pas tout de suite le travail avec la musique. Laissez-la vous pénétrer sans vraiment l'écouter. Elle est là, et comme une amie intime, vous offre sa présence. Vous vous sentez bien tous les deux. Tout est paisible.

À partir de là, l'exercice exige un geste mental qui va à la recherche de la musique. La sentir et l'entendre ne suffit plus : **il faut aller vers elle.** Il faut aller la chercher, prendre contact avec elle, l'attirer et l'introduire dans son corps par la porte des centres d'énergies *(chakras)*. C'est un travail d'alchimiste très facile, que chacun peut accomplir sans effort et dans lequel la force mentale fusionne avec la force musicale, pour construire un pont sonore magnétique. La musique peut ensuite emprunter ce pont pour se rendre jusqu'au fond de l'être.

Avec une bonne disposition mentale, cette technique — qui est également développée sous une forme différente par le professeur Thomas Zéberio, sans l'utilisation de l'énergie initiatique des Noms sacrés — joue un rôle actif dans l'auto-déblocage des courants psycho-physiologiques, et procure un rendement physique et intellectuel supérieur. Mais la véritable mission de cette méthode consiste encore à aider l'homme à atteindre un état de sérénité spirituelle, qu'il n'a jamais eu l'opportunité d'expérimenter auparavant.

Une flamme de compassion

Après ce premier contact conscient, visualisez au niveau du cœur une flamme de compassion, petite au début, mais qui ne cesse de s'accroître doucement. Ce feu d'amour finit par vous entourer complètement. Sentez la substance magnétique de la musique vous traverser. Dirigez maintenant ces énergies musicales vers le point de votre corps où vous savez qu'il existe un blocage. Cela se sent. Il peut s'agir d'une blessure physique ou d'une déchirure psychologique. Déposez la musique sur le plexus solaire et permettez en imagination qu'elle vous traverse. Lorsque vous la sentez vous traverser, visualisez toutes les humeurs nocives qui bloquent l'entrée du cœur, et sentez-les adhérer à la substance magnétique du son. Il se peut que vous ressentiez une forme de douleur à cause du déplacement de l'énergie négative ; mais cela disparaîtra avec l'évacuation de ces humeurs. Cette phase de l'exercice ressemble à une douche musicale.

Soyez conscient que la pensée et les énergies spirituelles émises par le compositeur s'unissent aux modulations de la musique qui vous traverse. Cette pensée vous aide dans votre travail ; elle vous soutient et vous influence. Il est nécessaire d'être sélectif dans ce que l'on écoute, **car les pensées imprégnées dans la musique nous pénètrent véritablement et agissent sur nous.** Lorsque l'intention du compositeur (et de l'interprète, s'il y a lieu) est dirigée vers le bien, le beau et le vrai, le résultat se révèle particulièrement bénéfique. Il est important que l'unique motivation qui sous-tend la création d'une composition soit la purification et l'élévation du monde. L'énergie intentionnelle imprégnée dans la musique se grave de façon pratiquement indélébile dans notre subconscient. Soyons sélectif dans ce que nous écoutons !

Pour en revenir à notre exercice de bain musical méditatif, allez littéralement chercher la musique et déposez-la sur votre plexus solaire. Faites-la pénétrer profondément ; laissez-la agir d'elle même. Les mantras dont est composé «**Le Chant de l'Universel**» sont puissants ; laissez-les faire leur œuvre de guérison tout en douceur. Ces mantras cicatrisent de l'intérieur vos blessures psychologiques les plus profondes, soignent vos plaies sentimentales et défroissent les tissus subtils de votre cœur malmené depuis si longtemps par les illusions de l'énergie externe.

Principalement, le premier mantra du « **Chant de l'Universel** », le *Radha-madhava mantra,* est la personnification sonore de l'amour pur et sans attente. La puissance de cet amour est incommensurable. La vie de ceux qui en ressentent ne serait-ce qu'une fraction infime n'est jamais plus la même. Le *radha-madhava mantra* est une vibration sonore capable de produire l'état d'extase. Des maladies chroniques peuvent être guéries par la force de ce mantra. **Il crée des ondes spirituelles puissantes, des ondes divines qui proviennent directement du plan supérieur.**

Lorsqu'on prend un bain de musique intérieur dans l'eau pure de ces énergies sonores, tous les miasmes de négativité qui nous gâchent l'existence sont véritablement drainés vers l'extérieur. L'onde interne du mantra pénètre dans le corps physique et astral de l'auditeur et ôte jusqu'à la racine des souffrances. Ensuite, une fois ce nettoyage accompli, cette onde interne remplit les cellules de *sattva* pure (vertu supérieure) et de *para-shakti* (énergie spirituelle). C'est un chant qui donne une grande secousse et qui a la faculté d'éveiller la glande pinéale ainsi que celle de tuer tous les parasites astraux sans exception.

Ce que peut penser le conscient à ce moment-là ne revêt aucune importance. Si la formule musicale est jouée assez longtemps et à un niveau suffisant pour que l'oreille entende les paroles prononcées, celles-ci pénètrent dans le subconscient. Quand ce dernier les a enregistrées, il en mémorise les données dans le surconscient (l'inconscient), ce qui graduellement, influence le conscient en « enlevant la poussière sur le miroir du mental ». Il s'en suit une extraordinaire prise de conscience : conscience du Soi, conscience du Dieu Interne, conscience de la place de l'âme dans le cosmos. Il y a donc l'action externe du son et l'action interne du subconscient qui réagit au son. Ces deux actions ne s'ajoutent pas, mais se multiplient et on constate qu'une force exponentielle est ainsi libérée.

J'ai noté qu'il n'est pas vraiment nécessaire non plus de comprendre le sens des mots entendus. De toute façon, ils agissent. En fait, l'énergie supérieure est souvent plus active quand le conscient n'entre pas en action, car alors il n'y a pas de barrière mentale. Quand la raison se tait, l'intuition prend la parole. Que l'on comprenne intellectuellement ou pas de quelle manière le feu brûle, il brûle. Ce qui est exact pour le feu l'est également en ce qui concerne le son. Le *Radha-Madhava mantra* est une vibration qui permet à l'auditeur d'être en contact avec son âme et de sortir de l'illusion. Il représente l'Angélus des mondes spirituels. Il efface le karma. Onde à haute puissance qui agit sur le corps et l'esprit tout entiers, il nettoie notre « résonateur » interne et rétablit l'équilibre dans nos cellules. Ses ondes nous aident à nous placer en harmonie avec l'univers.

Une sphère de lumière et d'amour

Après cette douche musicale, visualisez au-dessus de la flamme de compassion et d'amour, qui vous entoure maintenant comme un cylindre de lumière vivante, une gigantesque sphère d'énergie, de paix musicale universelle. La musique de cette sphère et celle que vous écoutez fusionnent alors. De cette fusion harmonique, vous pouvez puiser autant de lumière et d'amour que vous le désirez. Cette réserve d'énergie sonore est infinie et se trouve, jour et nuit, à la disposition de chacun. Librement, et sans rien attendre en retour, elle offre continuellement son soutien à ceux qui le lui demandent. Faites descendre lentement cette énergie toute-puissante vers les profondeurs de votre être, et sentez de quelle manière ses imprégnations vous procurent un délicieux bien-être. Conduisez la musique-lumière de paix et d'amour vers le cœur. Introduisez-la directement à l'intérieur et retenez-la à cet endroit pendant quelques minutes. Ouvrez ensuite votre cœur. À ce moment, la musique se répand dans tout le corps, ce qui produit une détente complète et procure une sensation de bien-être global rarement ressentie.

Une aura d'or et d'harmonie

Tous vos centres d'énergie s'imprègnent de cette lumière d'amour et s'ouvrent délicatement comme s'ouvrent les fleurs. Visualisez à cet instant précis une vapeur aurique harmonique, merveilleusement claire et dorée, enveloppant tout votre être. Baignez-vous dans cette harmonie dorée. Sentez que chacune de vos cellules l'absorbe et que, sous son impact, elles tressaillent de joie. Puis, conduisez-la dans tous vos membres. Commencez par vos doigts de pied, vos pieds, vos chevilles, vos jambes, et remontez graduellement jusqu'au sommet de votre tête. Ce drainage jouit d'une telle puissance qu'il arrive que l'expulsion des substances psychologiques négatives et le desserrage des nœuds d'inquiétude profonde déclenchent des pleurs, des frémissements émotionnels, des rires incontrôlés, etc.

La réaction est unique pour chacun et toujours très personnelle. Il arrive aussi — à cause de la ligature extrême des centres énergétiques du corps astral — qu'aucune réaction externe ne se manifeste. Quoi qu'il arrive à ce niveau de l'exercice, on ne doit pas retenir à l'intérieur les désirs d'expression qui peuvent se présenter. Il ne faut pas perdre de vue que **le but de l'exercice est précisément l'élimination des miasmes nocifs d'inquiétude, de peur, de frustration et de colère qui interdisent le développement spirituel de l'âme, en bloquant les *chakras*.** Ces matières pathogènes, constituées d'éléments éthériques grossiers, encrassent tout le système énergétique de l'être et empêchent la libre circulation des énergies supérieures. Dans cet état, les expériences mystiques et la pénétration de l'être vers les régions invisibles se révèlent impossibles. Cet état maladif chronique donne regulièrement naissance à une société triste, grossièrement perverse, où le taux de crime, de violence et de suicide dépasse l'imagination. Il n'y a là rien de surprenant. N'ayant aucune perception des mondes qui transcendent la matière, aucune vision des êtres splendides qui les peuplent, aucune écoute profonde de la musique des étoiles, aucun contact avec les éléments à haute vitesse vibratoire de la création, et n'expérimentant qu'une infime fraction des sensations humaines, pourquoi l'homme moderne ne nierait-il pas les choses de l'esprit ? Il n'en a pas la moindre idée, puisqu'il s'en trouve comme séparé par le mur de son inquiétude chronique et de son indifférence.

Les substances négatives des frustrations et du pessimisme latent interdisent l'accès aux plans supérieurs et empêchent de percevoir les inviolables lois de justice qui régissent l'univers. Cette justice inclut la merveilleuse et à la fois terrible loi de cause à effet. N'en ayant aucune conscience ni aucune connaissance (l'éducation à ce niveau est plus que dérisoire), l'homme moderne la nie purement et simplement pour son plus grand malheur sans se douter que la loi du karma (chaque action entraîne une réaction correspondante) prépare son destin futur avec la plus grande précision qu'il est possible de concevoir.

Sérénité de la Terre -Mère

Il convient de toujours garder à l'esprit que l'auto-nettoyage musical est minime lorsqu'il ne s'accompagne pas d'une respiration lente et profonde. Pour terminer le bain musical, dirigez au moyen de votre vision mentale votre lumière intérieure vers tous les êtres vivants : vers les plantes, les fleurs, les arbres, vers les animaux, vers les pierres, les cristaux, vers nos frères humains, les esprits de la nature, vers l'eau, le feu, l'air et le soleil, et vers toute la planète. La Terre — qui est un être vivant — frissonnera de bonheur et accueillera cette énergie lumineuse que vous lui faites parvenir. Elle la laissera se dispercer dans tout son corps, l'enveloppera de sérénité et la projettera vers vous avec amour. Recevez-la, chargée de la sérénité de la Terre-Mère, et dès lors réalisez que nous, êtres vivants, citoyens de l'Univers, ne sommes pas uniquement un corps physique mais que nous vivons « dans » le corps ou plus exactement « avec » lui. Sachez que nous ne sommes pas non plus le mental, mais que nous sommes censés l'utiliser (bien que la plupart du temps, ce soit lui qui nous utilise...) Sentez par intuition supérieure (la véritable *buddhi*), que nous sommes l'*Atma*, l'âme éternelle.

Cette intuition produit une musique si belle qu'il est possible de sentir physiquement et spirituellement un rayon de bonheur et de joie immenses envahir tout l'organisme. Désormais, vous vous pardonnez à vous-même et vous pardonnez à ceux qui vous ont blessé par leurs gestes ou leurs paroles. De ce pardon total naît la liberté. De cette joie sans limite, jaillit un flot de jouvence limpide, lumineuse, qui envahit chacune de vos cellules. Dès lors, l'état de bonheur parfait peut se manifester. Bonheur du corps éthérique, bonheur du corps émotionnel et du corps physique. C'est ce bonheur global, holistique, qui est à l'origine de l'état constitutionnel d'indépendance divine. Cet état de bonheur conscient est indestructible et représente le plus haut secret de la musique de l'âme.

CONCLUSION

SOLARIS UNIVERSALIS :
L'AVÈNEMENT DE L'ÊTRE SOLAIRE UNIVERSEL

En définitive, il n'y a que les moyens de parvenir à la plénitude et la manière de libérer l'âme en accélérant sa croissance qui sont des processus personnels. La Vérité est universelle et n'appartient à personne. L'âme, elle, ne cherche qu'à établir son centre de gravité permanent. Pour ce faire, elle peut suivre une multitude de voies différentes ; tous ces chemins passent exactement par les mêmes niveaux de conscience, les mêmes transformations, qu'on les nomme arbitrairement yoga, religion, alchimie, églises ou mouvement.

La voie de la musique de l'âme n'est pas la seule, mais elle correspond à l'époque que nous traversons et a pour qualité d'être simple et pratique. Elle est spontanée, libre et joyeuse.

Lorsque la conscience est fragmentée, l'organisme entre en conflit contre lui-même. Cet état d'angoisse né de la dualité, est la cause principale de toutes nos maladies. Le corps et l'esprit humains sont dirigés par un réseau d'intelligence qui a ses racines dans la réalité quantique, holistique et unifiée. C'est cette intelligence, cette conscience qui est la cause du bien-être et du salut des hommes. Or, la musique de l'âme est une énergie d'unification et d'intégration. Elle fait naître des perceptions et des sensations nouvelles, différentes, et est pour chacun à l'origine d'un autre vécu. C'est à cette autre manière de vivre, de percevoir et de sentir qu'elle va introduire graduellement le monde du XXIe siècle. Nous vivons une période cruciale quand à l'évolution de l'humanité. Tout le monde le sait. L'homme actuel se trouve en fait devant un choix : il rétablit sa relation avec la nature et retrouve les véritables valeurs de l'existence, ou bien... disparaît.

On retrouve au centre de la Pierre du Soleil, le fameux calendrier aztèque, la figure de Tonatiuh, le « Soleil » de la cinquième race, la nôtre. Celui-ci est entouré des quatre « Soleils » qui nous ont précédés et qui ont été détruits par différents cataclysmes. Ces catastrophes furent causées par l'absence d'unité, le manque de contact avec la vie essentielle. Autour de cette figure centrale représentant notre civilisation, on peut voir clairement, sculpté dans la pierre, le mot « tremblement ». Tous les exégètes sont donc parvenus à la conclusion que notre monde devra s'achever par le feu nucléaire et les tremblements de terre.

Si l'homme demeure dans l'illusion de la séparation et ne découvre pas son unité avec la vie, avec l'univers vivant, avec la Terre-Mère et avec l'intelligence cosmique, s'il rejette obstinément le lien sacré qui le relie à la Source Spirituelle et nie son pouvoir divin, il devra, c'est un fait, affronter les tremblements de la planète. Le manque d'amour des hommes fera trembler la Terre de froid. Leur cruauté la fera trembler de colère.

Pourtant, j'ai pour ma part une autre vision qui montre le mot tremblement sous un aspect totalement opposé. Les vibrations prophétisées par cette synthèse de la science, de la philosophie et de l'art qu'est la Pierre du Soleil, sont toujours interprétées par les spécialistes selon l'éventualité négative d'un grand cataclysme final. À mon avis, c'est une erreur. Même au plus fort de la tempête planétaire que les gouvernements (ignorants les lois qui régissent la nature) ne manqueront pas de s'imposer à eux-mêmes, il est extrêmement important de conserver envers et contre tout la vision positive de l'équilibre et de l'harmonie des sphères divines. Le sanctuaire intérieur ne peut en aucun cas être troublé par les séismes généralisés et la débâcle complète du système monétaire.

Lorsque de tels événements se produisent, c'est uniquement pour nous faire réfléchir ; ces changements coïncident au désir de verticalité, d'élévation et de purification que l'être vivant appelé « la Terre » ressent périodiquement. Quoi qu'il en soit, soyons certains que le mot tremblement possède également une conotation positive. Au lieu de voir dans cette prophétie des ondes sismiques dévastant un monde voué à la mort, pourquoi ne pas imaginer les puissantes secousses sonores provoquées par la diffusion massive des chants d'amour et de lumière qui sont le propre de la musique de l'âme ?

Au lieu de visualiser des tremblements causés par les vibrations destructrices d'explosions nucléaires apocalyptiques, je préfère projeter dans le monde la vision selon laquelle **la Terre entière vibre d'ores et déjà sous l'effet sans précédent des hautes fréquences de la musique divine retrouvée.** Ces ondes sonores puissantes bouleversent l'âme des choses et des êtres : les cœurs s'ouvrent, les intelligences s'éveillent et les peuples décident de faire le bien et le bonheur de toutes les entités vivantes. Sous l'influence lumineuse de ces tremblements d'amour cosmique, la Terre entière recouvre enfin l'opportunité de suivre le sentier de compassion et atteint graduellement l'illumination parfaite.

Ceci n'est pas un rêve. En réalité, un courant profond commence à animer le monde. Sans idéologie, sans parti, des êtres conspirent dans un esprit de tolérance pour le bonheur commun. Ce bonheur ne peut être pleinement manifesté qu'en réactivant notre essence d'énergie supérieure, c'est à dire en reprenant contact avec cette présence christique, bouddhique, krishnique, qui dépasse tout concept, qui est en nous et est nous, quelque soit le nom qu'on veuille bien lui donner. Mais ce réajustement nous expose à la résistance des retardataires de l'ère mourante qui s'accrochent encore à la rapacité industrielle, à la pollution violente et au fanatisme d'une Église ou d'une École, en refusant les évidences des fils et des filles de l'ère nouvelle. Toutefois l'être qui garde ses sens et son esprit en contact constant avec la Source n'a rien à craindre de cette grande confrontation.

Le signe même du Verseau est formé de deux ondes de forme symbolisant la vibration d'un son nouveau qui résonne à travers tout l'espace sidéral. Cette nouvelle sonorité correspond à l'harmonie céleste de la musique de l'âme et l'homme solaire délivré du joug de l'égoïsme et de la peur s'associe désormais avec elle.

C'est un signe des temps. Les énergies musicales inspirées par les grands êtres des sphères supérieures proclament la suprématie du cœur : le printemps cosmique de l'ère du Verseau s'est enfin levé ! Nous prenons conscience que des pouvoirs infinis se réveillent en nous et que notre seul et éternel devoir, notre unique travail est de les utiliser pour l'accélération de l'évolution mondiale. Réveiller ces pouvoirs et les mettre au service de l'élévation de l'âme : tel est le véritable but de la musique humaine qui lorsqu'elle vient vraiment des insondables profondeurs du cœur, devient la seule substance dans l'univers capable de satisfaire notre soif d'amour absolu.

Ne rien rejeter, mais tout engager dans l'immortel divertissement de la transformation intérieure, tel est le véritable renoncement, la vraie soumission. Le reste n'est que bavardage et perte d'énergie. Le reste n'est pas pratique. Ne pas uniquement privilégier l'existence contemplative mais célébrer l'amour de la vie quotidienne, en mettant la moindre vibration au service de l'être authentique, telle est la resacralisation par laquelle le monde doit passer, qu'il le veuille ou non, s'il désire réellement traverser l'énorme crise environnementale qui le frappe de toutes parts aujourd'hui. De cette mission heureuse, de cet engagement joyeux, naîtra le corps électro-magnétique de la nouvelle humanité, dont le visage reflètera la plénitude des grands accomplissements dans la sérénité de l'œuvre achevée. Ce visage resplendissant de beauté, de bonté et de force sera celui de l'être solaire universel.

Om Tat Sat.

GLOSSAIRE
des mots sanskrits

Atma : Infime parcelle d'énergie, partie intégrante et fragment du Divin. L'atma est l'être en soi. Elle est différente du corps physique, dont elle habite le cœur, et y constitue l'origine de la conscience. Elle a une individualité propre, au même titre que Dieu, et sa forme est d'éternité, de connaissance et de félicité. Elle demeure distincte de Dieu ; elle en possède les qualités ou attributs, en infime quantité. Elle constitue l'énergie marginale du Divin, car elle peut être influencée soit par l'énergie matérielle, soit par l'énergie spirituelle. En sanskrit, atma est l'être vivant. On la désigne également par les noms *jivatma* (âme distincte) ou *anuatma* (âme infinitésimale) selon l'aspect sur lequel on désire insister.

Ashrama : Lieu où l'on pratique la recherche de la réalisation spirituelle.

Acarya : Littéralement : qui enseigne par l'exemple. Maître spirituel authentiquement qualifié. Il doit appartenir à une filiation spirituelle remontant à une manifestation divine et aussi transmettre, sans le trahir, son message originel. Il montre à tous les êtres comment suivre la voie de l'illumination intérieure et sa vie est l'exemple même de son enseignement. Dans un sens moins spécifique, on trouve ce mot utilisé pour certains personnages qui ont tenu le rôle de précepteur et ont eu des disciples sous leur tutelle.

Astanga-yoga : De asta : huit, et anga : partie. Méthode de yoga fixée par Patanjali et comportant huit étapes : *yama, niyama, asana, pranayama, pratyahara, dharana, dhyana* et *samadhi.* Il permet d'atteindre à la réalisation de l'Âme suprême (Paramatma).

Buddhi : Intelligence. Conscience, attitude mentale, l'un des huit organes de la perfection du savoir *(jnana)* et l'un des cinq sens. Éveil de la connaissance de la conscience. Intuition supérieure.

Bhagavad-Gita : Bhagavan : Être Suprême ou encore Bienheureux ; gita : chant. C'est le « Chant du Bienheureux Suprême ». Dialogue, porté par écrit par la manifestation *(avatara)* Vyasadeva, entre Krishna et Arjuna. Le sujet en est la connaissance de la Vérité Absolue, de la condition originelle, naturelle et éternelle de tous les êtres distincts, de la nature cosmique, du temps et de l'action. Elle forme l'essence de tous les textes védiques et l'étude préliminaire au Srimad-Bhagavatam.

Bhakti yoga : Ou buddhi yoga. La voie du développement de la bhakti, l'amour de Dieu, en son état pur, sans la moindre teinte d'action intéressée *(karma)* ou de spéculation intellectuelle ou philosophique *(jnana).* Étape finale du yoga tel que l'enseigne la Bhagavad-Gita ; il se pratique par l'abandon de soi au Divin, à travers les activités dévotionnelles et sous la direction d'un acarya.

Brahma-Samhita : Texte très ancien dans lequel Brahma, celui qui reçoit de Dieu le pouvoir de tout créer dans l'univers, décrit la forme, les attributs et le « royaume » de la Vérité Absolue, après que l'Être Suprême ne soit révélé à lui.

Brahma : Premier être créé dans l'univers, auteur de la Brahma-Samhita.

Brahman : Ou brahmajyoti, radiance émanant du Corps absolu de Bhagavan et représentant l'aspect impersonnel de la Vérité, ou le premier degré de réalisation de l'Absolu.

Bija : Lettre-symbole supportant un pouvoir spécifique ou représentant la vibration sonore créatrice ou évocatrice de la divinité-énergie qu'elle enferme.

Bhakti : Amour, dévotion pour le Divin ; engagement des sens purifiés de l'être au service des Sens Suprêmes.

Bhajan : Ou Bhajana. Réunion de spiritualistes qui chantent ensemble des hymnes et des chants dévotionnels en l'honneur de la divinité.

Caitya-guru : Forme sous laquelle la Vérité guide de l'intérieur. Le maître spirituel caché dans le cœur de tous.

Caitanya : Caitanya Mahaprabhu : Avatar venu en Inde, il y a 500 ans, pour enseigner la voie de réalisation en fonction de l'âge présent. Il joua le rôle d'un bhakti-yogi afin de montrer comment ranimer l'amour pour Lui, amour dont il inonda l'Orient en le distribuant librement à tous.

Chakra : Roue, disque. Dans la Kundalini-yoga (montée de l'énergie spirituelle) centre de conscience ou roue d'énergie tourbillonnante (vortex).

Déva : Être doté du pouvoir de régir un secteur de la création universelle, et de veiller au besoin de tous les êtres.

Devanagaki : «Langage des dieux». Écriture qui a l'avantage de pouvoir représenter tous les sons. Chaque syllabe possède une valeur mystique.

Guna : Sattva-guna (vertu), rajo-guna (passion) et tamo-guna (inertie). Diverses influences qu'exerce l'énergie illusoire sur les êtres et les choses. Elles déterminent la façon d'être, de penser et d'agir de l'âme qu'elles conditionnent. C'est par leurs interactions que s'opèrent la création, le maintien et la destruction de l'univers. Le mot a également le sens de chaîne ou corde.

Guru : Celui ou celle dont l'opinion a du poids. Chef spirituel (par extension). Ce titre est également donné à la planète Jupiter considérée comme guru des divinités.

Haridasa : Haridasa Thakura. Grand bhakti-yogi, disciple de Caitanya Mahaprabhu, qui lui conféra le titre de « namacarya ». Maître du chant des Noms sacrés, en raison de son vœu strict de chanter chaque jour 300 000 fois les Noms de la Vérité Absolue.

Jiva : Ou jiva-tattva. Catégorie des êtres distincts *(atma)*, fragments et parties intégrantes de « Dieu-Aum ».

Jiva-Goswami : Un des six grands sages de Vrndavana (village de l'Inde où Krishna dévoila ses Divertissements spirituels, il y a 5 000 ans).

Japa : Récitation, technique d'extase consistant en la répétition des Noms sacrés ou d'un mantra ; le japa est utilisé pour obtenir la concentration dans les exercices de méditation. Peut être récité à haute voix, chanté, murmuré ou bien encore muet. Destiné à faciliter l'entrée en communion avec la Divinité. La liturgie chrétienne le nomme « litanie ». Dans cet exercice, le japa-yogi utilise un rosaire (chapelet).

Krishna : « Celui qui attire tous les êtres à Lui », « L'Infiniment Fascinant ». Divinité considérée comme l'Avatara de toutes les divinités du panthéon hindou. On le représente le plus souvent comme un jeune homme au teint bleu-noir magnifiquement paré. Il est Celui qui possède pleinement les six excellences : beauté, richesse, renommée, puissance, sagesse et renoncement.

Kali-yuga : Âge *(yuga)* de querelle et d'hypocrisie, dernier d'un cycle de quatre *(maha-yuga)* ; il dure 432 000 ans. Celui où nous vivons a commencé il y a 5 000 ans. Il est essentiellement caractérisé par la disparition progressive des principes de la spiritualité et l'unique souci du confort matériel.

Kirtana : Kirtanam. Chant collectif des vibrations sonores spirituelles, généralement accompagné d'instruments divers.

Maya : Ce qui n'est pas. Énergie illusoire. Sous son influence, l'âme se croit le Maître de la Création, le Possesseur et le Bénéficiaire suprême. S'identifiant à l'énergie matérielle, c'est-à-dire au corps (aux sens), au mental et à l'intelligence matérielle, l'âme se lance dans la quête des plaisirs inférieurs et s'enchaîne de plus en plus au cycle des morts et des renaissances. Pouvoir d'illusion de Dieu, créé dans le monde des apparences et qui cache le «jeu divin».

Mantra : Vibration sonore qui a pour effet de libérer l'être en guérissant le mental de ses blocages et de ses tendances matérielles.

Maha-mantra : Mantra des 32 syllabes, préconisé pour l'âge de Kali par Caitanya. Ce mantra possède le pouvoir non seulement de libérer l'être conditionné de ses tendances matérielles mais aussi d'éveiller en lui l'amour divin et l'extase de la vie intérieure.

Mana ou manas : Mental ou plan subtil de la pensée. «Sens intérieur qui centralise et coordonne les faits appartenant à la sensibilité et crée le vouloir comme la représentation des faits.» (Louis Frédéric, *Dictionnaire de la Civilisation indienne*, Robert Laffont, 1987.)

Naradi-muni : Grand sage, fils de Brahma, qui voyage partout à travers les mondes matériels et spirituels, où il répand les gloires de l'Âme Suprême, en chantant et en jouant de sa vina (instrument à cordes).

Omkara : Ou *pranava* ou *Om.* Vibration sonore spirituelle qui représente l'Absolu.

Parâ-prakrti : Prakrti : nature (littéralement ce qui est dirigé). Il existe deux sortes de prakrtis : *aparâ-prakrti*, la nature matérielle, et *parâ-prakrti*, la nature spirituelle, c'est-à-dire l'être vivant. Ces deux natures sont dirigées par la Nature Suprême du Divin.

Paramatma : L'Âme Suprême. Émanation de l'Être Absolu qui vit dans le cœur de chaque entité vivante, en chaque atome de la création et même entre les atomes. Cette émanation constitue l'aspect localisé, omniprésent de la Vérité et représente le degré intermédiaire de réalisation.

Purâna : « Anciens » textes sanskrits, au nombre de 18, traitant de la création du monde et que la tradition attribue à Vyasadeva. Les principaux Purânas auxquels on se réfère la plupart du temps sont le Brahma-purâna, le Padma-purâna, le Vishnu-purâna, le Shiva-purâna et le Bhagavat-purâna.

Parampara : Filiation spirituelle. On dit d'un guide, d'un écrit, d'un enseignement, d'une connaissance qu'ils sont paramparas lorsqu'ils s'accordent avec les textes sacrés et les maîtres d'une filiation authentique, remontant à la Source du savoir.

Prema : Prem, preman — Amour pur. Amour envers tous les êtres et spécialement envers Dieu-Source.

Rasa : Littéralement doux sentiment. Mot servant à désigner la relation intime qui unit l'âme à Dieu. On compte cinq rasas principaux : sentiment amoureux ; affection parentale ; amitié, fraternité ; attitude de service ; neutralité. L'âme participe de la même nature que Dieu et ne fait qu'Un avec Lui sur le plan qualitatif ; c'est au niveau absolu, entre l'âme et le Tout spirituel suprême (l'Être Souverain) que les échanges de rasas trouvent leur origine, et aussi leur déploiement total.

Raga : « Attirance » ou « couleur ». « En peinture, les raga décrivent un moment émotionnel, provoqué soit par des agents extérieurs (matin, soir, nuit, pluie, orage, vent, etc.), soit par des sentiments intérieurs (tristesse, amour, attente, etc.). Ils se combinent avec les couleurs et les lignes pour provoquer chez celui qui regarde l'image, l'éveil d'un certain nombre d'émotion.

«En musique, c'est la combinaison des modes et des rythmes qui doit éveiller chez l'auditeur des sensations et émotions diverses.» (Louis Frédéric, *Dictionnaire de la Civilisation indienne*, Robert Laffont, 1987.)

Ravana : Être démoniaque. Il voulut construire un escalier pour atteindre les planètes édéniques, en évitant la tâche de se qualifier pour un tel voyage. L'avatara Ramacandra mit un terme définitif à tous ses plans matérialistes après qu'il l'eût offensé en enlevant son épouse, Sita.

Rama : « Source intarissable de félicité ». Désigne à la fois l'avatara Ramacandra, exemple du souverain parfait, et la manifestation Balarâma.

Sruti : L'ensemble des Écritures révélées venant directement des plans spirituels. Une Écriture révélée est un écrit védique, en général ou un tout autre écrit faisant autorité en matière de science spirituelle *(smrti)*, c'est-à-dire expliquant la nature de la Vérité, ou de l'âme et du lien éternel qui les unit.

Sukadeva Goswami : Premier orateur du Srimad-Bhagavatam (Bhagavat-Purana).

Sadhana : Discipline que doit suivre un dévot pendant sa méditation.

Sanatana-dharma : Fonction naturelle et éternelle de l'âme qui est de se relier à la Vérité.

Véda : « Savoir », « Qui a été vu par les sages », « Révélation ». Écritures védiques : elles comprennent les quatre Védas (le Rk, le Yajus, le Sama et l'Atharva), ainsi que les cent-huit Upanashads, qui constituent leur partie philosophique, et leur complément : les dix-huit Purânas, le Vedanta-sutra (ou Brahma-sutra, grand traité philosophique constitué d'aphorismes sur la nature de la Vérité Absolue, et composé en guise de conclusion aux Védas) et le

Srimad-Bhagavatam. L'avatara Vyasadeva y a compilé, voici 5 000 ans, la connaissance spirituelle transmise jusqu'alors par voie orale.

Yuga : Chacun des quatre âges d'un maha-yuga. Un maha-yuga représente chacun des mille cycles de quatre âges *(satya, treta, dvapara* et *kali)*, durant chacun 4 320 000 ans, qui couvre la durée d'un jour de Brahma.

Note : Pour plus de précisions au sujet de la définition des mots sanskrits, le lecteur pourra se référer aux ouvrages des Éditions Bhaktivedanta, 1976, 1977, 1978, Lucay-le-Mâle, 36 600 Valençay, ainsi qu'au *Dictionnaire de la Civilisation indienne*, par Louis Frédéric, Robert Laffont, 1987.

BIBLIOGRAPHIE

Aïvanov, Mikhaël, *Création artistique et Création spirituelle*, Éd. Prosveta, 1985.

Bence, Dr L., et Méreaux, M., *Guide pratique de musicothérapie*, Éd. Dangles, 1987.

Benenzon, Ronaldo, *Manuel de musicothérapie*, Éd. Privat, 1981.

Bhaktivedanta, Swami, *Bhagavad-Gita*, Éd. Bhaktivedanta, Paris, 1977.

Bible, *Psaumes*.

Blofeld, John, *Les Mantras ou la puissance des mots sacrés*, Dervy-Livres, 1985.

Capra, Frijof, *Le temps du changement*, Éd. du Rocher, 1983.

Campbell, Dom, *The Quest — Music as Healing*, Introduction to the Musical Brain, Theosophical Society in America, printemps 1989.

Cannavo, Richard, et Hidalgo, Fred, *Paroles et musiques*, Éd. de l'Arducaria, n° 15, février 1989.

Carton, Dr Paul, *Les lois de la vie saine*, Copyright by P. Carton, 1922.

Caya, Hélène, *Du son jaillit la lumière*, Éd. Denis J. Paradis inc., Montréal, 1987.

Coué, Émile, *Œuvres complètes*, Éd. Astra, 1976.

De Candé, Roland, *L'invitation à la musique*, Éd. du Seuil, Paris, 1980.

Diamond, John, *Your Body Doesn't Lie*, Warner Books Inc., 1980.

Drolet, Chantal, et Sicotte, Anne-Marie, «L'alimentation qui tue», dans *Guide ressources*, vol. 4, n° 6, Juillet-Août 1989.

During, Jean, *Musique et extase*, Éd. Albin Michel, Paris, 1988.

Ferguson, Marilyn, *Les Enfants du Verseau. Pour un nouveau paradigme*, Éd. Calmann-Lévy, 1981.

Govinda, Lama Anagarika, *Méditation créatrice et conscience multidimensionnelle*, Éd. Albin Michel, 1979.

Inconnu, *Récits d'un Pélerin russe*, Éd. de la Baconnière, Éd. du Seuil, 1974.

Kuhne, Louis, *La Nouvelle Science de guérir*, Éd. Cevic, 1978.

Kushi, Aveline et Michio, *Grossesse macrobiotique et soins au nouveau-né*, Éd. Guy Trédaniel, 1986.

Lingerman, Hal A., *The Healing Energies of Music*, The Theosophical Publishing House, A Quest Book, 1983.

Maveric, Jean, *La médecine hermétique des plantes*.

Mersenne, Père, *Harmonie universelle*, publié en 1535.

Osmont, Anne, *Le Rythme créateur de forces et de formes*, Éd. des Champs-Élysées, 1942.

Petite Philocalie de la prière du cœur, Éd. du Seuil, 1979.

Podolsky, Edward, *The Doctor Prescribes Music*, Frederick A. Stockes, Co., New York, 1939.

Rudhyar, Dane, *La magie du ton et l'art de la musique*, Éd. Arista, 1985.

Russel, Peter, *The Global Brain*, J.P. Tarcher Inc., Los Angeles, 1983.

Schmidt, K.O., *Le hasard n'existe pas*, Éd. Astra, 1956.

Scott, Cyril, *La Musique, son influence secrète à travers les âges*, Éd. de la Baconnière, 1984.

Spalding, Bairt T., *La Vie des maîtres*, Éd. Robert Laffont, 1972.

Stevens, S.S., et Varnshofsky, Fred, *Le son et l'audition*, Time.

Tegtmeier, Ralph, *Guide des musiques nouvelles*, Éd. Le Souffle d'Or, 1988.

Tomatis, A. Alfred, *La Nuit utérine*, Éd. Stock, 1981, 1987.

Zeberio, Pr J. Thomas, *Les Sons et l'énergie humaine*, Courrier du livre, 1979.

Références bibliographiques

Alper, Dr. Frank, *Exploring Atlantis 1-2-3*, Arizona Metaphysical Society, Phoenix, 1981.

Altghuler, I., «The Past, Present and Future of Music Therapy», in Podolsky, E., *Music Therapy*, New York Philos Lib., 1953.

Aucher, Marie-Louise, *L'Homme sonore*, Épi Éditeurs, Paris, 1983.

Bence, Léonce, et Méreaux, Max, *La musique pour guérir*, Éd. Van de Velve, 1988.

Bertholet, Dr Ed., *La Réincarnation*, Éd. Pierre Guenillard, 1978.

Besant, Annie, *Le pouvoir de la pensée*, Éd. Adyar, Paris, 1988.

Bhaktivedanta, Swami, *Chant and be Happy*, Bhaktivedanta Book Trust, Los Angeles, 1982.

Bhaktivedanta, Swami Prabhupada, *Sri Namamrra*, B.B.T. Éd., 1982.

Bô-Yin-Râ, *La pratique des mantras*, Librairie de Médicis, Paris, 1982.

Butor, M., *Les Mots dans la musique (Musique en jeu)*, Éd. du Seuil, 1971.

Carton, Dr Paul, *Traité de Médecine, d'alimentation et d'hygiène naturiste*, P. Carton, 1920.

Chopra, Deepak, *Quantum Healing*, Bantam Books, 1989.

Cotte, Roger J.V., *Musique et symbolisme*, Éd. Dangles, Saint-Jean de Braye, 1988.

Curry, A.E., *Drugs in Jazz and Rock Music*, Clin. Toxicol. États-Unis, 1968.

Foglio, Hélène, *La dynamique du son. Approche de l'univers sonore. Yoga, son et prière*, Courrier du livre, Paris, 1985.

Frédéric, Louis, *Dictionnaire de la Civilisation indienne*, Éd. Robert Laffont, 1987.

Garfield, Laeh Maggie, *Sound Medecine*, Celestial Arts, Berkeley, Cal., 1987.

Gregorat, Claudio, *L'Expérience spirituelle de la musique*, Éd. du Centre Triades, Paris, 1980.

Guillot, J. et M.A., Jost, J., et Lecourt, E., *La Musicothérapie et les méthodes nouvelles d'association des techniques*, Éd. EST, Paris, 1977.

Hamel, Peter Michael, *Through Music to the Self*, Element Books Ltd, 1978.

Hanish, Dr, *Cours d'harmonie*, Éd. Aryana, Paris, 1967.

Heline, Corinne, *The Cosmic Harp*, New Age Bible and Philosophy Center, Santa Monica, 1986.

Huneau, Sophie, *Les musiques qui guérissent*, Éd. Retz, 1985.

Howard, W., *La musique et l'enfant*, P.U.F., Paris, 1963.

Kuhne, Louis, *La Nouvelle Science de guérir*, Éd. Cevic, 1978.

Khan, Sufi Inayat, *Music*, Sh. Muhammad Ashraf, Lahore, 1971.

Lachat, Jean, *Musicothérapie*, Éd. Guérin, Montréal, 1981.

Maltz, Maswell, *Psycho-Cybernetics*, Wilshire Books Company, 1968.

McCellan, Randolf, *The Healing Forces of Music*, Amity House, New York, 1988.

Menuhin, Yehudi, et Curtis, W. Davis, *The Music of Man*, Methuen, 1979.

Mitdhell, John, *The Dimensions of Paradise*, Harper Row Publishers, San Francisco, 1988.

Monte Young (La), *Selected Writings: Le Chant de Pram Nath: Le son est Dieu*, Esselier, Paris, 1971.

Ortmann, O., *Non Auditory Effecte of Music*, in Schoen, p. 244-245.

Quertant, G., *Musique et médecine*, 1933.

Reeves, Hubert, *L'heure de s'enivrer. L'Univers a-t-il un sens ?*, Éd. du Seuil, 1985.

Schullian, D.M., et Schoen, M., *Music and Medecine*, Schumann Inc., New York, 1948.

Sivananda, Sri Swami, *Japa Yoga*, Centre international Sivananda de Yoga Vedanta, 1956.

Sivananda, Sri Swami, *Music as Yoga*, Yoga-Vedanta Forest University, 1956.

Steele, D., «Music for the Autistic Child», in *Music in Psychiatric Treatment*, London, 1966.

Stevens, S.S., et Warshofsky, Fred, *Le Son et l'audition*, Time inc., 1966.

Tame, David, *The Secret Power of Music*, Destiny Books, 1989.

Teplov, B.M., *Psychologie des aptitudes musicales*, P.U.F., Paris, 1966.

Tomatis, Pr Alfred, *L'Oreille et la vie*, Éd. du Seuil, 1978.

Tomatis, Alfred, *L'Oreille et le langage*, Éd. du Seuil, 1978.

Tompkings, Peter, et Bird, Christopher, *La vie secrète des plantes*, Éd. Robert Laffont, 1973.

Vajpeyi, Kailash, *La science des mantras*, Éd. Guy Trédaniel, Paris, 1977.

Wall, Van de, *Music in Hospitals*, in Schullian et Schoen, 1948.

Weber, Edith, *La recherche musicologique*, Éd. Beauchesne, Paris, 1980.

Zonneveldt, A., *Musicotherapy with Adolescents*, Acta Paedopsychiatry, Suisse, 1969.